KT-482-299

Тамара Михеева

Доплыть до грота

Иллюстрации
Маши Судовых

2018

УДК 821.161.1-053.6
ББК 84(2Рос=Рус)4
М69

Михеева, Тамара

М69 Доплыть до грота : [для сред. и ст. шк. возраста : 12+] / Т. Михеева ; ил. Маши Судовых. — М. : КомпасГид, 2018. — 160 с. : ил. — (Подросток N).
ISBN 978-5-00083-466-4

«Он зашел по пояс и поплыл. Спокойно так плыл, не торопясь. Ну и правильно. Когда плыть долго, то нельзя торопиться. Мы молчали. Только Жека сказал один раз: "Плакали твои денюжки, Васьк. Доплывет"». И откуда у мальчишки по кличке Кабанчик такая сила воли? Три желания Киры, дерзких и пугающих, исполняет одно за другим — будто и не был никогда тихоней-пухляшом. Доплыть до грота. Дойти пешком до города Омега. Своими руками создать парк. Что объединяет таких разных героев Тамары Михеевой? Возраст — им всем нет и шестнадцати. А еще — у всех них есть цели. Большие ли, маленькие, серьезные ли, наивные — какая разница! Главное, что эти цели — их собственные. Каждый рассказ в этом сборнике подсказывает, как такие цели найти и не спасовать перед трудностями.

Тамару Михееву читатели хорошо знают в качестве автора повестей для детей и подростков. В книге «Доплыть до грота» ее талант рассказчика принимает новую форму. Короткие истории, собранные под этой обложкой, одновременно динамичны и медитативны: в жизни героев одна перемена сменяет другую, но персонажи успевают обдумать происходящее, адаптироваться к череде непредсказуемых событий, принять себя в новых обстоятельствах. Пронзительные иллюстрации Маши Судовых невероятно созвучны тексту.

Лауреат множества премий по детской литературе (среди них — конкурс им. С. Михалкова и Национальная премия «Заветная мечта»), Тамара Михеева пишет легко и увлекательно, несколькими фразами создавая интересных героев с богатым внутренним миром и переживаниями, близкими всякому подростку. В издательстве «КомпасГид» ранее выходили ее книги: «Легкие горы», «Дети дельфинов», «Островитяне» и «Асино лето».

В героях серии «Подросток N» читатели от 13 лет без труда узнают себя. Персонажи этих книг когда с интересом, когда с радостью, а когда и с ужасом осознают: мир намного сложнее, чем им казалось в детстве. А в сложности этой — новые возможности и новые открытия.

УДК 821.161.1-053.6
ББК 84(2Рос=Рус)4

ISBN 978-5-00083-466-4

Ксюхе, которая может станцевать мне ирландский танец под окнами больницы, и Юльке, которая знает, что все главные разговоры случаются в пять утра. С вами обеими я могу разделить и горе, и радость

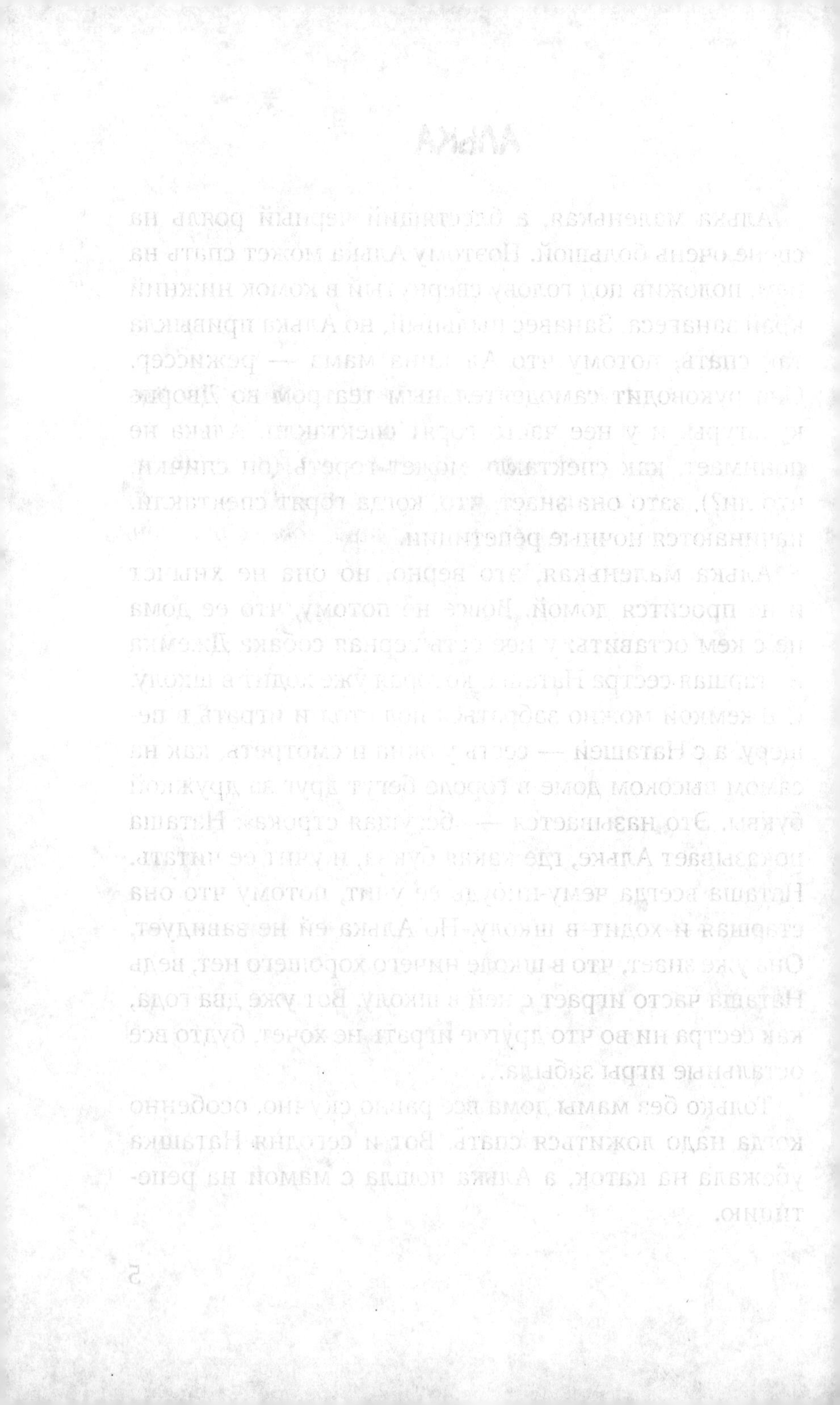

Алька

Алька маленькая, а бабушкин черный рояль на сцене очень большой. Поэтому Алька может спать на нем, положив под голову свернутый в комок нижний край занавеса. Занавес пыльный, но Алька привыкла так спать, потому что Алькина мама — режиссер. Она руководит самодеятельным театром во Дворце культуры, и у нее часто горят спектакли. Алька не понимает, как спектакли могут гореть (они спички, что ли?), зато она знает, что, когда горят спектакли, начинаются ночные репетиции.

Алька маленькая, это верно, но она не хнычет и не просится домой. Вовсе не потому, что ее дома не с кем оставить: у нее есть черная собака Джемма и старшая сестра Наташа, которая уже ходит в школу. С Джеммой можно забраться под стол и играть в пещеру, а с Наташей — сесть у окна и смотреть, как на самом высоком доме в городе бегут друг за дружкой буквы. Это называется — бегущая строка. Наташа показывает Альке, где какая буква, и учит ее читать. Наташа всегда чему-нибудь ее учит, потому что она старшая и ходит в школу. Но Алька ей не завидует. Она уже знает, что в школе ничего хорошего нет, ведь Наташа часто играет с ней в школу. Вот уже два года, как сестра ни во что другое играть не хочет, будто все остальные игры забыла...

Только без мамы дома все равно скучно, особенно когда надо ложиться спать. Вот и сегодня Наташка убежала на каток, а Алька пошла с мамой на репетицию.

АЛЬКА

Алька маленькая, а блестящий черный рояль на сцене очень большой. Поэтому Алька может спать на нем, положив под голову свернутый в комок нижний край занавеса. Занавес пыльный, но Алька привыкла так спать, потому что Алькина мама — режиссер. Она руководит самодеятельным театром во Дворце культуры, и у нее часто горят спектакли. Алька не понимает, как спектакль может гореть (он спички, что ли?), зато она знает, что, когда горят спектакли, начинаются ночные репетиции.

Алька маленькая, это верно, но она не хнычет и не просится домой. Вовсе не потому, что ее дома не с кем оставить: у нее есть верная собака Джемка и старшая сестра Наташа, которая уже ходит в школу. С Джемкой можно забраться под стол и играть в пещеру, а с Наташей — сесть у окна и смотреть, как на самом высоком доме в городе бегут друг за дружкой буквы. Это называется — «бегущая строка». Наташа показывает Альке, где какая буква, и учит ее читать. Наташа всегда чему-нибудь ее учит, потому что она старшая и ходит в школу. Но Алька ей не завидует. Она уже знает, что в школе ничего хорошего нет, ведь Наташа часто играет с ней в школу. Вот уже два года, как сестра ни во что другое играть не хочет, будто все остальные игры забыла…

Только без мамы дома все равно скучно, особенно когда надо ложиться спать. Вот и сегодня Наташка убежала на каток, а Алька пошла с мамой на репетицию.

Во Дворце всегда интересно, даже если мама занята. Можно устроиться рядом с ней на соседнем кресле в зрительном зале и смотреть, что происходит на сцене. Альке смешно: у всех ее знакомых артистов имена не такие, как в жизни, и ведут они себя по-другому. Это называется спектакль. А у мамы — волшебные ладоши, она в них хлопает, и спектакль останавливается. Даже если там творится что-нибудь страшное, даже если дерутся на шпагах, ссорятся или вообще целуются — все, все замирают и смотрят на Алькину маму. Потому что мама лучше знает, как драться, как ссориться и как целоваться, где надо сесть, когда встать и из какой кулисы выходить.

Артисты у мамы разные, есть очень даже старше нее, совсем седые и с морщинками, как Алькина бабушка. В жизни их называют Иван Михайлович, Юрий Васильевич, Анна Карповна. Но и они все до одного слушают, что говорит Алькина мама.

Репетиция тянется долго, и Альке надоедает сидеть на одном месте.

— Далеко не ходи, — не отрывая глаз от сцены, говорит ей мама.

Она далеко и не пойдет. Все, что во Дворце, — это ведь не далеко, а из Дворца она не выйдет. На улице зима. Одеваться самой трудно, шуба тяжелая. И хотя Алька очень-очень любит бегать по морозу без шубы и чувствовать, как колючие лапы щиплют за руки, за ноги, за живот, она решает не расстраивать маму. Мама всегда очень переживает, думает, что Алька простынет, но Алька не простынет никогда. А в парке весело: уже построили горку, и елку поставили, всюду огни, музыка… Но на катке Наташка, она увидит Альку без шубы и пожалуется маме. Нет, не пойдет Алька в парк, лучше по Дворцу побродит.

Дворец очень большой и очень красивый. Всюду колонны, картины, лепные потолки, широкие лестницы, и перила у них тоже широкие — можно сесть верхом и скатиться вниз. Еще везде растут пальмы в кадушках. И кругом зеркала от пола до потолка. В таких зеркалах помещается вся Алька, холл и кусочек лестницы. У каждого кружка во Дворце есть своя комната, и у маминого театра тоже. В этой комнате артисты собираются перед репетицией, читают пьесу, пьют чай, а репетируют всегда на сцене. А сколько во Дворце закутков и коридоров! И Алька все их знает. Еще бы! Первый раз мама взяла ее с собой на работу, когда Альке было всего два месяца. Коляску с ней мама поставила за кулисами, а сама вела репетиции. Если вдруг Алька просыпалась и плакала, мама объявляла перерыв и шла кормить Альку, а потом снова репетировала. Но Алька не думает, что так уж часто она плакала.

Дворец у них большой, и кружков в нем много. Алька долго смотрит в замочную скважину в двери изостудии: нет ли противного долговязого мальчишки, который ее все время дразнит? Мальчишки нет, и Алька заглядывает в дверь. Ребята здесь все большие, смотрят на маленькую Альку свысока. Но руководит ими Таня, художница из маминого театра, с которой Алька дружит. Вечером Таня ведет этот кружок, а утром в театре придумывает костюмы и декорации к спектаклям. Один раз она даже дала Альке раскрасить буквы на большой афише.

Таня Альке кивает: заходи, мол. Алька протискивается в дверь, усаживается у батареи. Таня дает ей бумагу и краски с кисточками. Здесь не то что в детском саду: красок много и кисточки разные-разные, а еще есть палитры и мольберты. Рисует Алька увлеченно, высунув кончик языка.

— Забавная, — шепчет одна девочка другой и делает на краю листа карандашный набросок, очень похожий на Альку.

Альке хочется нарисовать красивую даму в шляпе, на качелях и с цветами, но у нее не получается. Она расстраивается и уходит. Не все умеют рисовать. Ну и что? Будто обязательно всем уметь!

Лучше пойти к эстрадникам, там много интересного. Пол обтянут зеленой ворсистой тканью, словно по траве ходишь. На полках пластинки стоят, их очень много, даже в театре столько нет. На стенах фотографии и афиши: где и когда выступал эстрадный оркестр. Алькин папа тоже есть на этих фотографиях. Алька долго на него смотрит, потом подходит к инструментам. И инструментов много, но больше всего разных труб. Они блестят и тяжелые. Альке нравится гладить их отполированные бока и смотреть на свое смешное отражение: Алькино лицо растягивается и перекашивается.

Репетиция в оркестре уже закончилась, но никто не расходится — все сидят, разговаривают... Альку отсюда никто не гонит, потому что ее папа самый главный в оркестре, он все их концерты ведет. Только он сейчас в командировке. Папа часто ездит в разные города и всегда что-нибудь привозит вкусненькое.

Конфеты, например. Папа знает толк в конфетах. Он, наверное, их много перепробовал, и поэтому покупает всегда самые вкусные. И игрушки привозит. В прошлый раз привез желтую обезьянку, которая умеет кувыркаться, если ее завести ключиком.

— Что, Алька, скоро папка приедет? — Спрашивает ее дядя Веня. Он трубач и папин друг.

— Скоро, — уверенно заявляет Алька, хотя мама сказала, что через неделю. — Может, даже завтра.

Алька смутно представляет, сколько это — неделя. И почему бы неделе не кончиться завтра? Ведь «завтра» — так близко и так понятно! Уснуть, проснуться — вот и завтра!

Еще открыты комната цирка и танцкласс, но Алька не идет туда. Там все такие задаваки! Она спускается по широкой лестнице, придерживая пальцами подол платья. Она та самая дама в шляпе. Очень красивая! Нет, она — младшая дочь короля, все младшие дочки главные в любой сказке. В детском саду они с девочками часто играют. Придумывают сказку и играют в нее. Кто придумал сказку, та — старшая принцесса. Старшей тоже быть хорошо, все слушаются. А младшей бывают по очереди. Мальчишки у них всегда разбойники. Кем же им еще быть? Алька часто придумывает сказку, поэтому младшей принцессой, в которую все всегда влюбляются, она бывает очень редко. Но ведь когда одна играешь, можно стать кем хочешь…

В фойе Алька забирается под бильярдный стол. Красная бархатная скатерть спускается до пола и кажется, что Алька в домике. Нет, в пещере. Принцессу в шляпе похитили разбойники и посадили сюда.

В пещеру проникает музыка и смех — это с катка. Алька выбирается из-под стола и смотрит в окно. На улице темно, но прожектор освещает каток. Здорово иметь коньки! Алька просит, просит ей купить, а мама все время говорит, что она еще маленькая. А недавно сказала, что денег нет. Вот так всегда: стоит вырасти, так сразу деньги кончаются! А Наташкины коньки Альке велики даже с тремя шерстяными носками.

Алька начинает танцевать под музыку. Хорошо бы стать балериной и так кружиться, кружиться…

— Аля, вот ты где!

Это Оля, мамина артистка. Она протягивает Альке руку:

— Пойдем чай пить. У нас перерыв.

— Пойдем, — соглашается Алька.

Когда они проходят мимо одной из лестниц, Алька зажмуривается. Лестница закручивается улиткой и исчезает в темноте закутка — там, где запасный выход. Внизу живет Огневушка-Поскакушка. Она пляшет, поднимаясь по воздуху, машет платком и сердито усмехается, глядя на Альку. Она злая. Алька ее боится. И если не успеет зажмуриться, увидит Огневушку, то ночью потом заснуть не может. Алька даже думать про нее боится и мимо этой лестницы старается не ходить. Но ведь сейчас она с Олей… Взрослые всегда ходят там, где им хочется, и не пугаются.

Самое лучшее в репетициях — это перерыв. Если перерывы коротенькие, то неинтересно: кто-то бежит в туалет, кто-то просто болтает, даже со сцены не уходят. А большой перерыв — то, что надо, настоящее чаепитие. Но он редко бывает, только когда «спектакли горят» и репетиции затягиваются за полночь. Артисты в такие дни приносят с собой разные вкусности: варенье в маленьких баночках, печенье, оладушки. Варя всегда печет ватрушки, а Алькина мама — пирог с капустой. Кипятят чайник, накрывают на стол. Когда Алька не занята, она помогает: кружки расставляет, за чайником следит…

Разговор за столом всегда веселый. Иногда Альке кажется, что артисты дразнятся, но все смеются, и она тоже смеется, только оттого, что другим смешно. Над Алькой тоже подшучивают иногда, особенно Владик. Говорит что-нибудь обидное. Алька сердится на него и на остальных, что они хохочут над ней, и уходит из-за стола, хоть Владик и кричит вслед:

— Это шутка, Аленький!

Очень нужны ваши дурацкие шутки! Вот у папы Алькиного шутки, так шутки, от них Альке всегда смешно. А это разве шутки, если плакать хочется?

Алька прячется в уголок, где висят костюмы, и дуется на весь белый свет. Обиднее всего, что там весело сейчас без нее и все едят капустный пирог, который, между прочим, ее мама испекла! Альке хочется выйти из своего укрытия и вернуться за стол, как ни в чем не бывало, будто она и не обижалась вовсе, но что-то мешает ей. Это «что-то» прилепило ее к месту и сдвинуться не дает, хотя, честное слово, очень хочется к столу и капустного пирога, и даже на Владика она больше не сердится! Но Алька сидит и сидит, и ей кажется, что целый час прошел.

Наконец Владик приходит мириться. Но все то же «что-то» мешает Альке с ним заговорить. Она молчит, разглядывает то свои ноги в валенках, то Владиковы — в кедах. Но потом Владик обязательно что-нибудь забавное скажет, и Алька засмеется. Тут уж он хватает ее на руки, подбрасывает к потолку несколько раз. Алька хохочет на весь театр, да так, что у нее бока начинают болеть. И дальше все совсем хорошо: и чай, и капустный пирог, и довольная Владиком Варя.

Самый большой недостаток у перерыва, что он заканчивается. Начинается репетиция, и всем опять не до Альки. Она слоняется за кулисами, а потом незаметно пробирается в карман, хотя ходить туда ей строго-настрого запрещено. Карман — это такое место, где хранятся декорации. Смешное название, будто сцена — пальто с карманами. Очень высокий потолок в кармане. Почти как небо. Алька запрокидывает голову, смотрит вверх. Какой же великан красил этот потолок? Она осторожно идет между нагромождением декораций. Ей хочется выбраться на балкончик с узорной решеткой. С балкончика видно реку и поезда. Но балконные двери, огромные, глухие, из темного дерева, закрыты на замок и перегорожены деревянным сундуком. Это сундук из маминого спектакля про Золушку. Алька забирается на него и смотрит в щелочку между дверьми. Ни поездов, ни реки не видно. Зато Алька видит фонарь и как падает крупный снег. Алька долго смотрит на фонарь и на снег, потом замерзает. А артисты все что-то говорят на сцене, а мама то и дело их останавливает, и все повторяется и повторяется сначала. Горит, горит спектакль…

Уставшая, полусонная Алька пододвигает табуретку, взбирается на рояль, поднимает и комкает нижний

край занавеса, сворачивается калачиком и медленно засыпает под голоса на сцене и мамины хлопки.

— Смотри, какая красота, — говорит Владик Варе, — рыжие кудряшки на черном рояле.

— В свете прожектора, — добавляет Варя.

— На фоне алого занавеса. Ах, Варенька, почему я не художник? Какая вышла бы картина!

— Каждый человек — художник, — строго замечает Варя. — Вот хоть у Альки спроси, уж она-то знает.

Но Алька спит и не слышит. Ей снятся залитый светом каток, и медные трубы, и дама в шляпе, и дворник, и поезд, в котором скоро приедет папа. Поезд поет веселую песенку: тук-тук, тук-тук, тук-тук… И в такт этой песне стучит Алькино сердце, и стук его еле слышно отдается в огромном рояле.

КАРМАНЫ, ПОЛНЫЕ ШИШЕК

-1-

В карманах у Зои всегда полно шишек и ракушек. Так, наверное, и должно быть у девочки, живущей в сосновой роще у моря.

Зоя не моя внучка, она внучка моей жены Тани. Мы познакомились с Таней на занятиях по скандинавской ходьбе, еще там, в городе, где зимы длятся по полгода и где я прожил всю свою жизнь. Таня уходила с тренировок чуть раньше, пройдя четыре круга по парку вместо положенных пяти. Она торопилась за своей внучкой в детский сад. Танина дочь, Зоина мама, умерла от лейкемии. Зое было тогда три года.

Теперь мы живем на море.

Гуляем в сосновой роще.

Набиваем карманы сосновыми шишками.

А иногда кипарисовыми.

Иногда грецкими орехами.

Или ракушками.

Мы бродим по пляжу, пустому в октябре, и собираем птичьи перья, стекла, обкатанные морем, и камешки.

У меня никогда не было детей. Как-то не сложилось. Я не умею рассказывать сказки. Не знаю детских стихов и песен. Не умею печь оладьи.

Все это умеет Таня.

— Ты знал, что по скандинавской ходьбе проводят марафоны? — вдруг спрашивает меня Зоя.

— Нет…

— Представь себе! Куча народу в этом участвует. Не только… хмг… пожилые.

Зое — одиннадцать. Мы ей кажемся, наверное, ужасно старыми.

Я вдруг вспомнил, как Таня радовалась, когда мы первый раз приехали сюда. Этот дом у меня давно, остался в наследство от дядьки лет двадцать назад. И почти двадцать лет я тут не был. Сдавал его через агентство. А когда мы с Таней стали жить вместе, я рассказал ей о нем, и она сказала:

— Наверное, это так красиво — стареть, глядя на море. И Зойке был бы полезен морской воздух.

И мы переехали сюда. Ходить с палками по берегу моря и впрямь гораздо приятнее, чем по скучному парку.

Теперь у меня старость с видом на море.

И Зоя.

Она набивает карманы шишками и морскими камешками. Дома она выгребает их из карманов, расставляет на подоконнике по росту. У нее есть шишечный, ракушечный, палочный подоконники. Стеклышки она складывает в стакан, а камешки — в коробку из-под Таниных туфель.

— Расскажи что-нибудь, — просит она перед сном.

— Может, лучше почитаем?

— Нет, лучше расскажи.

Я не знаю, что рассказывать. В моей жизни ничего интересного не происходило, и я просто пересказываю ей всякие приключенческие книжки. Она слушает, раскрыв рот. Иногда спрашивает:

— Ты сам это видел?

Но одну правдивую историю я все-таки ей рассказал. Историю про дом, в котором мы живем. История и правда необычная. Дом построила моя двоюродная бабушка, тетя Галя. Потому что ее сына Генку, моего дядьку, посадили. Ему было пятнадцать лет. Какие-то мужики попросили его постоять на «шухере», пока они воруют сметану на молокозаводе. Пообещали дать стакан сметаны. Время было послевоенное, стакан сметаны — это же такое богатство! Их поймали. И всем влепили большой срок, потому что после войны за кражу государственного имущества очень сурово наказывали. Генке дали пятнадцать лет. Я помню, как плакала моя мама, когда получила от тети Гали письмо:

— Стакан сметаны! Стакан сметаны! — причитала она, раскачиваясь на стуле.

Тетя Галя воспитывала Генку одна, его отец погиб на войне. Я до сих пор думаю: пятнадцать лет — как же бесконечно много, когда у тебя никого больше нет. Стакан сметаны, и пятнадцать лет в тюрьме, и вся жизнь под откос. Наверное, это такое отчаяние, такая беспросветная мука, что только так и можно было справиться: начать строить хороший каменный дом для сына, который в тюрьме.

Генку тетя Галя не дождалась. Умерла за два года до его освобождения. Когда мы приехали на похороны, дом уже стоял и вокруг него был заложен сад. Генка вернулся и прожил здесь всю жизнь один, так и не женившись. Не знаю, почему он оставил дом мне. Может, просто у него никого больше не было.

После этой истории Зоя попросила у меня стакан сметаны. Съела ее с сахаром.

Вечерами, когда Зоя засыпает, я сажусь у окна, пью чай, смотрю на звезды и на море, разглядываю ряды Зоиных шишек. Вдруг вспоминаю, что она обляпалась мороженым, надо постирать кофту. Перед закладкой в машинку приходится хорошенько вытряхивать ее одежду. В карманах всегда много мелких камешков, песка и семян. Шишки согреваются от тепла Зоиных рук, раскрываются в карманах, и семена выпадают. Я долго разглядываю мелкие темно-коричневые зернышки. Жалко их выкидывать, все-таки деревья, будущая жизнь. Я закапываю семена в большой горшок с Таниной толстянкой, которую она привезла сюда. Почему-то ей дорог этот цветок. Может быть, его подарила ей дочка, Зоина мама? Я никогда не спрашивал. Вылил в горшок стакан воды. Наверное, надо толстянку поливать хоть изредка...

Две недели назад Таня возилась с розами в саду и вдруг упала. Нам повезло. Таня может часами возиться с розами, а я часами читать, а Зоя — рисовать одежду своим бумажным куклам. Но тут у Зои сломался карандаш. А остро, очень остро точить карандаши умеет только Таня. И Зоя выбежала в сад. И увидела, как Таня падает и что-то мычит.

Нам повезло. Я был дома. Я читал «Доктора Живаго» и сразу вышел на Зоин крик. Она часто кричит и визжит. От радости, от страха, от боли. Я привык не реагировать. Она очень эмоциональный ребенок, Таня все время ей говорит:

— Тише, Заинька, тише.

Но этот ее крик… он был таким, что я тут же вскочил.

Нам повезло: скорая приехала быстро. Прямо вот за семь минут. Я смотрел на часы. При инсульте часто время решает всё. Мне постоянно говорят это теперь: соседи, интернет, Танины подруги, которые звонят почти каждый день.

Нам не разрешили поехать на скорой. Мы остались с Зоей вдвоем.

Удивительно, как пустеет пространство, когда из него уходит дорогой тебе человек. Еще лежали на земле свежими заплатками осыпавшиеся лепестки роз. Выкипал чайник, который я поставил как раз перед тем, как Зоя поднялась со своего места, чтобы выйти в сад. Рассыпанные карандаши, недорисованное платье, брошенный Пастернак.

Я поехал в больницу через полчаса. Взял Зою с собой, потому что не знал, можно ли оставить ее дома одну. Мы ехали на велосипедах по обочине дороги, и я ругал себя, что взял ее. Надо было оставить у соседей или еще что-нибудь придумать. Никто ведь не знает, что нас там ждет.

Как я с этим справлюсь?

В коме человек не бывает красивым. Изо рта и ноздрей у Тани торчали какие-то трубки, руки были привязаны к кровати.

— Зачем? — спросил я.

Мне ответили, что руки дергаются, падают, пациент беспокоится.

«Пациент беспокоится...»

Она лежала с закрытыми глазами, она не могла дышать сама. Я не понимал, слышит ли она меня, чувствует ли, что я рядом?

Зою к Тане не пустили. Оказывается, детей до четырнадцати лет не пускают в реанимацию. Я начал настаивать и спорить, потому что у Зои сразу хлынули слезы. Но врач отвел меня в сторону и сказал:

— Вы уверены, что хотите этого? Зрелище не для детей, поверьте. И знаете... если чуда не случится, то пусть девочка лучше запомнит ее здоровой. Правда.

Я вдруг подумал: а где Зоин отец? Кто он? Я никогда не спрашивал о нем.

Вернувшись домой, я полез в коробку, где Таня хранила всякие документы, нашел Зоино свидетельство о рождении. В графе «отец» — прочерк. Так я и думал.

А Зоя бродила по сосновой роще, собирала шишки.

— Давай сварим суп, — предложила она на пятый день. — Я знаю, что нужна картошка, капуста и какое-нибудь мясо.

Я пошел в магазин за курицей. Я умею варить и щи, и борщ, и даже рассольник, я долго жил один. Я просто не подумал, что ребенок должен питаться разнообразно, не только жареной картошкой.

Зоя упорно ездит в больницу со мной. Сидит в приемном покое, ждет, пока я схожу к Тане. Сидит и ждет там, пока я сижу рядом с Таней, перебираю ее тонкие пальцы и твержу:

— Вернись, вернись, я не знаю, как мне жить без тебя, я никогда еще не был так одинок и растерян.

Иногда Таня поднимает брови, будто удивляется, или сжимает мою руку. Но врач уже объяснил мне: нельзя уверенно сказать, что это осознанно, это может быть рефлекторная реакция мышц.

— Правильно, что вы с ней говорите, — кивала мне медсестра. — Надежды почти нет, но чудеса случаются.

На наших подоконниках росли ряды шишек, ракушек и палочек.

Две недели — это очень долго. Это ужасно, катастрофически долго, если два раза в день ты ходишь в больницу разговаривать со своей женой, лежащей в коме. И это в два раза дольше, когда с тобой ходит маленькая девочка, сидит и ждет тебя в приемном покое и вскидывает на тебя глаза, когда ты выходишь. Я не скрываю от нее, что состояние по-прежнему «стабильно тяжелое» и надежды почти нет. Какой смысл врать ей сейчас? И правильно ли это?

Меня удивляет, что Зоя не плачет. Ни в палате, ни дома. Может, она не понимает, насколько все серьезно? Чуть ли не первый раз в жизни я жалел, что моя первая жена, с которой мы поженились очень молодыми и развелись очень быстро, не родила мне ребенка. Может быть, если бы у меня был взрослый сын, он мог бы сказать мне сейчас:

— Не переживай, отец, она выкарабкается. Все будет хорошо, заживете, как раньше.

Или была бы у меня взрослая дочь, и она бы объяснила мне, что чувствует в такой ситуации одиннадцатилетняя девочка.

В тот день Зоя вскрикнула:

— Смотри! В бабушкином цветке кто-то проклюнулся! На сорняк вообще-то не похоже…

Зоя зовет меня на «ты», но по имени-отчеству. Так звала меня Таня, когда мы только познакомились, так стала звать и Зоя, так и осталось до сих пор. Хотя мы живем вместе уже пять лет и для Тани у нее куча имен и прозвищ: бабушка, бабуся, бабуля, бамбусик, буся, батаня…

Я взял очки. Точно, проклюнулись. Я вспомнил, что сам бросил в горшок семена, которые вытряхнул из кармана Зоиной кофты.

— Что это, а?

— Сосны твои… вечно в карманах семена, вот я и бросил сюда.

— Бабушка нас убьет!

А вечером позвонил врач. Я уходил за молоком, а когда пришел, с порога услышал, что Зоя говорит по телефону:

— А еще, представь себе, дедушка бросил в твою толстянку семена сосен, и они, представь, проросли!

Я тихонько поставил банку с молоком на пол в коридоре. Встал у стены. Сегодня утром я был у Тани, и она показалась мне совсем… совсем… Я решил тогда, что нет надежды уже даже на чудо. А тут вдруг «сосны в твоей толстянке».

— Целую тебя, бамбусик мой! Да, да, конечно, я скажу, он сразу тебе позвонит!

Я шагнул в комнату.

— Ой, ты пришел! Прости, твой телефон зазвонил, и я взяла, просто там было написано «Танин врач» и я подумала…

Она прижалась к моему плечу и расплакалась.

Тане и врачу я перезвонил позже. После теплого молока с медом. Уткнув разбухший от слез нос в кружку, Зоя рассказывала мне, как она взяла трубку, а врач, узнав, что я забыл телефон дома, передал трубку Тане. И говорит она очень тихо и не очень понятно, но все помнит, даже как упала.

— Я думаю, вам надо принять участие. Ну, в том марафоне по скандинавской ходьбе, — сказала Зоя, допивая молоко. — Помнишь, я говорила? А сосны мы пересадим в другой горшок. И совсем она не рассердилась! А ты боялся! Сказала, что сосны — это к счастью.

- 2 -

Как это все-таки странно — у меня теперь есть сестра. Не было и вдруг есть. Ее зовут Зоя, у нее темные волосы, гладкие и блестящие, совсем не как мои, она заплетает их двумя «дракончиками». У нее светлые глаза, какие-то серые, наверное, или, может, зеленые, я точно не знаю. А у меня карие.

Зоя любит полосатые носки. Это, конечно, вообще не важно, я не знаю, зачем я об этом говорю. Просто однажды я заметила, что у нее все носки полосатые, других нет. А вся одежда — с карманами. Карманы ей нужны для того, чтобы складывать шишки, палочки и камешки, всякую дребедень, которую она находит по дороге к папиной работе.

Туда Зоя ходит каждый день, прямо с утра. Ведь сейчас лето, как раз «сезон» — с мая по октябрь. А в другое время у папы и работа другая.

У него свой веревочный парк. Что-то вроде аттракциона. На разной высоте натянуты трассы со всякими препятствиями, которые нужно обходить. Тебе надевают обвязку, дают карабины и ролик. Это весело и немножко страшно, но всем нравится, и у папы много клиентов. Я тоже часто хожу туда, помогать и просто так. Мне нравится смотреть на людей. Люди все разные. Кто-то смелый, кто-то не очень. Кто-то красивый, кто-то смешной. Зоя вот, например, очень ловкая. Она с первого раза прошла все трассы, даже самые сложные. Папа сказал, что у нее есть талант.

А еще у Зои есть дедушка. Это из-за него она теперь с нами. Только он не настоящий ее дедушка, не родной. Он — муж ее бабушки, которая умерла. И Зою он не смог «сдать в детский дом», поэтому разыскал папу. А ему самому не разрешили стать опекуном — он ведь Зое не родственник. А мой папа — родственник.

Ближайший.

Ее отец.

Я слышала, как родители разговаривают на кухне.

— И как только он тебя откопал? — сказала мама.

— Я вообще-то не скрывался.

— Но вы не были женаты!

— Не были. Но Татьяна Васильевна меня знала.

Мама долго молчала, потом спросила:

— Ты знал про нее? Ты знал про Зою?

— Да.

И они опять надолго замолчали. Я замерла у кухонной двери. Боялась, что сейчас мама скажет, как сильно она папу презирает. Потому что получается ведь, что он бросил Зоину маму и саму Зою! Может, он даже никогда Зою и не видел! Он ведь ни разу нам не говорил про нее! Конечно, не видел… Трудно увидеть Зою и бросить. Ну, правда. Я вот сразу ее полюбила. Хоть она меня и не замечает. Конечно, я же младше на два года. И вообще невзрачная, я слышала, так Инга бабушке про меня сказала.

— Я не готов был. Не готов к ребенку и вообще семью заводить. Да и она… мне показалось, она тоже не готова, — снова заговорил папа.

— Показалось?

— Она решила, что не будет рожать, раз так. Раз я не хочу. Но и встречаться нам вроде как смысла больше нет. Этот «смысл» меня добил просто. Я еще что-то там пытался, но она избегала со мной встреч, а потом и вовсе уехала к маме, мне ее подруга сказала. И я больше ее никогда не видел. А потом через общих знакомых узнал, что она все же родила. Но ты уже ждала Майку, и я… я сделал свой выбор.

Вот так.

Из нас двоих папа выбрал меня. Наверное, это потому, что он Зою не видел никогда. Но все-таки на секундочку мне стало приятно. А потом — стыдно. Получается, я виновата, что Зоя росла без отца. Мне было интересно узнать, что по этому поводу думает мама, но она молчала. А потом позвонила Инга, пришлось отвечать, и я прослушала, о чем они там дальше говорили.

Инга — мамина сестра. Но она старше меня всего на девять лет, и я зову ее просто по имени. Мы с ней сами как сестры, только она всегда меня жизни учит. Я не говорю, что это плохо, но иногда надоедает. И я не всегда с Ингой согласна, но сказать боюсь. Вот, например, про Зою.

Инге сразу не понравилось, что Зоя будет жить с нами. Даже когда мама объяснила, что у нее никого нет, только неродной дедушка и мы: родной папа, полуродная сестра и совсем чужая мама. К нам приходила психолог из соцслужбы или органов опеки, я не очень поняла, разговаривала с мамой и папой и со мной. Мне она сказала, что Зое очень трудно пришлось в жизни, что ее мама умерла от тяжелой болезни, когда Зоя была совсем маленькая, а теперь вот умерла и бабушка, которая воспитывала Зою, «заменила ей маму». Получается, Зоя дважды потеряла маму. Жуть. Я бы не выдержала. Но Зоя сильная, сказала психолог, просто ей надо помочь, с ней надо дружить.

Я хочу дружить с Зоей.

Все думают, что я не хочу, что она мне не нравится, что я должна сердиться на нее за то, что она «вторглась в нашу жизнь». Но все наоборот — я ОЧЕНЬ хочу с ней дружить! Но не знаю как. Мне всего двенадцать. А Зое — почти пятнадцать, у нее даже паспорт есть!

Папа уделяет Зое много времени. Учит ее лазить с веревками, вязать узлы. А она помогает ему в парке, продает билеты и ведет инструктаж на детской трассе. Я не обижаюсь. Мама говорит мне:

— Папа пытается наверстать упущенное, ведь он не знал о существовании Зои.

Мама не в курсе, что я слышала тот их разговор.

А я думаю, папу гложет чувство вины. Красивое выражение — «гложет чувство вины», я услышала его в одной бабушкиной передаче и иногда использую.

Мне кажется, у папы именно это. Он ведь на самом деле знал про Зою. Знал, что она есть. Но делал вид, что не знает. Я часто думаю: зачем ему было выбирать? Ну, между мной и Зоей? Может, папа думал, что мы с мамой обидимся, если узнаем про Зою? Ну, так мы все равно узнали!

Понятно, что он уже любил мою маму, но ведь он мог все равно встречаться с Зоей, мы могли бы вместе ходить в парк и на дни рождения друг к другу. Нам было бы проще сейчас. А то мы спим с ней в одной комнате и все время молчим и прячем глаза. Я боюсь заговорить почему-то. Ну, как-то не знаю, о чем говорить. Ведь у нее горе. Про ерунду, наверное, нельзя говорить, а про серьезное я тоже не могу первая начать, мне же всего двенадцать. И ей про меня, наверное, неинтересно совсем. Вот если бы мы были знакомы до всего этого!

Однажды я заметила, что Зоя уходит тайком по ночам. Я даже испугалась: вдруг она вампир? Мы же ничего о ней не знаем! Я стала ее караулить. Но никак не могла дотерпеть до того момента, когда она уходит, все время засыпала. А утром проснусь совсем рано — ее нет! Потом мама позовет завтракать, и пока я умываюсь, одеваюсь, выхожу в кухню — Зоя уже за столом. А ведь я всю квартиру с утра проверяю! Нет ее! И кроссовок ее нет, и любимой длинной рубашки с карманами!

Я поставила в комнате блюдечко с чесноком и положила под подушку серебряную ложечку, которую мне Инга подарила. Зоя никак не отреагировала.

Значит, не вампир. Значит, у нее есть какая-то тайна. И я решила выяснить, что она скрывает.

- 3 -

Мы с дедушкой стоим на берегу моря.

В моем левом кармане два грецких ореха, еще в зеленой кожуре. А в правом — голубое морское стеклышко, деревяшка и кипарисовая шишка.

— Ты уже совсем взрослая, — вздохнул вдруг дедушка.

— А я уже совсем старый, — снова вздохнул он примерно через минуту.

Мне смешно. Никакой он не старый! Он даже вышел на работу, сторожем в музей, и с палками ходит по-прежнему. Я боялась, что он бросит, что эта ходьба будет сильно напоминать ему бабушку. Но он ходит. Может быть, именно поэтому. Я вот розы выращиваю. Потому что она их любила.

— Ты никуда отсюда не уедешь, да? — спрашиваю я, хотя знаю ответ.

Я бы хотела, чтобы мы жили в одном городе. Я бы забегала к нему каждый день после уроков и Майку бы с собой брала, у нее нет ни одного дедушки. Но он не хочет уезжать отсюда. Мы все это уже обсуждали, но я зачем-то спрашиваю опять.

— Только здесь я и был счастлив, — вновь отвечает он.

Я оборачиваюсь и ищу в зелени наш дом на холме. С тех пор как дедушка рассказал мне историю про своего дядю Гену, этот белоснежный дом всегда мне кажется облитым сметаной. Я знаю, чего боится дедушка, — своей беспомощной старости. Боится, что откажут ноги. Или руки. Или мозги. И никого не будет рядом, чтобы позаботиться о нем.

Вчера он сказал, что хотел бы умереть, как бабушка. И на меня вдруг накатило, я разревелась, хотя уже вроде смогла справиться со всем этим, а тут… Он засуетился, давай варить мне какао…

Потом полночи я думала о том, как бы мы с ним жили, если бы можно было тут остаться. По утрам я бы пила чай с бутербродами, а может, научилась бы сама печь оладьи, и мы бы завтракали вместе. Я бы ходила в свою старую школу, а он бы читал на веранде, решал кроссворды, а после обеда шел бы гулять с палками по берегу моря. Вечером он бы рассказывал мне свои истории, точнее пересказывал любимые книжки (и не всегда точно, я проверяла). В моей памяти еще стоят те двадцать три дня, когда бабушка лежала в больнице. Тогда этот смешной и такой всегда… немного отстраненный Юрий Денисович стал моим единственным близким человеком. И оказалось, что мы с ним во многом похожи… Потом бабушку выписали, и мы прожили вместе еще три года — долгих и счастливых. А потом у нее случился второй инсульт. И скорая уже не успела.

Майка сказала, что это ужас. Но она просто не понимает: еще три года жизни — это счастье. Я рада, что они у нас были. И было чудо бабушкиного выздоровления, дедушкины слезы, ее рассказы о снах в коме, их прогулки по берегу моря, с палками, но очень медленные, не для марафона уже. И мы пересадили сосны из толстянки в отдельные горшки и вместе радовались каждой новой веточке. За три года почти все они выросли сантиметров на двадцать, стали похожи на деревья, а не траву. И еще бабушка учила меня ухаживать за розами — обрезать, пересаживать, опрыскивать от вредителей. И мы подолгу разговаривали на веранде за вечерним чаем. Я часто думаю о том, что, если бы мама прожила чуть дольше, еще три года, я могла бы ее помнить. Она была бы для меня настоящей. Со своим особенным голосом, мимикой, запахом. Человеком, а не фотографией.

Обо мне сейчас все говорят. Из-за этого моего сквера. Даже по телевидению показывали. По местному. «Подросток, подаривший городу сквер». Много чего говорят, и журналисты, и горожане, когда их опрашивают на улице. «Исключительная личность», «борец за справедливость», «любовь к природе»... Такая чушь!

Я просто скучаю.

Очень скучаю по бабушке.

Но я не стану говорить про это в камеру. И дедушке запретила. Пусть лучше будет «любовь к природе» и «бунт против потребительства и бездумной застройки».

Папин город не то чтобы плохой, просто какой-то неуютный. Неопрятный, что ли, будто давно брошенный и нелюбимый дом. Вроде бы и южный, море в двух часах езды на автобусе, а все равно. Мне нравилось только то место, где в небольшом лесочке папа организовал веревочный парк. Сам парк папин нравился. А по соседству с ним — пустырь. Довольно большой. Говорят, раньше там стояла усадьба местного миллионера, владельца суконной фабрики, а может, и не суконной, я забыла. В революцию усадьбу сожгли. Город постепенно расширился, теперь это даже не окраина, а район «недалеко от центра». На пустыре хотели построить очередной торговый комплекс. Пятый или шестой в этом не очень-то большом городе. А жители района хотели сквер. Я их понимаю, им правда негде гулять, еще и лесочек папа под свой бизнес занял. Говорят, местные с мэрией бодаются уже не один год. А пустырь так и стоит. Ничейный.

В общем, оно само как-то вышло. Во-первых, те сосны, которые выросли в бабушкиной толстянке. Я забрала их с собой, когда переехала к папе. В горшках им стало тесно, а куда я высажу? Обратно к дедушке их отвезу? Да у него и места нет на участке, а ведь это не цветы: они вырастут огромными, им простор нужен.

Я не хотела, чтобы меня кто-то видел. Почему-то было неловко, стыдно даже, хотя что такого? Будто человек не может посадить восемь сосен на пустыре. Но я все представляла, что кто-нибудь подойдет ко мне и начнет вопросы задавать. И что я отвечу? Поэтому приходилось в четыре утра вставать, тихонько одеваться и лезть в окно. Хорошо, что папина квартира на первом этаже, из окна спуститься легко. А саженцы я с вечера прятала в палисаднике у подъезда. Он заросший, никто и не замечал среди травы горшка с сосенкой.

В первый день я чуть не заблудилась. Маршрутки еще не ходят в такую рань, пришлось идти пешком. Добралась туда только к шести. Земля на пустыре оказалась просто каменная! Так что в первый день я посадила всего одну сосну, а остальные семь пришлось тащить обратно. Ну и что, зато я поняла, что моя затея — реальна. Оставалось придумать, как туда добираться побыстрее. И я попросила у папы самокат. Стыдно было, конечно, но он почему-то сразу купил. Очень крутой. Я помню, как его жена посмотрела. Как-то так: «Ты Майке никогда таких подарков не делал!» Мне стало совсем стыдно, но отказываться было поздно. И бессмысленно. И папа ходил какой-то прямо гордый. Вечером в тот день я Майке сказала:

— Если хочешь, можешь кататься, сколько влезет.

— Правда? — встрепенулась она. Заулыбалась так хорошо, а потом говорит: — Спасибо, но я на велосипеде больше люблю. У меня был самокат, он мне все время по ноге ударял, прямо по косточке, вот здесь. Ужасно больно! И мы его продали. А тебе он понравился?

— Кто?

— Самокат.

— Очень! С ним очень удобно. Твой папа такой добрый, спасибо ему.

Майка завозилась у себя в кровати и прошептала, но я услышала:

— Он общий. Папа. Твой тоже.

Весь май я уходила по утрам на пустырь, а к семи возвращалась домой, чтобы меня не потеряли и чтобы вопросов не задавали. Я долбила саперной лопаткой тугую землю пустыря и думала о бабушке. И о маме. О том, что, может, я тоже рано умру. Мало ли... вдруг это наследственное. Зато будут расти на пустыре восемь сосен. Не сквер, конечно, как хотели жители района, но все равно. Они потом сами могут сажать новые деревья и скамейки поставить и даже фонтан. И одним красивым местом в городе станет больше.

Очень трудно было копать землю и возить в полторашках воду для полива. А еще я поняла, что их запросто затопчут, мои сосны, они же совсем маленькие! Я нашла в интернете инструкцию, как сделать плетень, наломала у реки веток ивы и сплела каждой сосне заборчик. А однажды ехала на выходные к дедушке, и недалеко от автостанции была сельхозярмарка. И я увидела целый ряд роз. Самых разных, даже черных. Я не удержалась и купила семь штук, разноцветных. Три мы посадили у бабушки на могиле, а остальные я привезла на пустырь. Посадила между самыми крепкими сосенками. Подумала, что остальным соснам будет обидно, и поехала на ярмарку опять. В общем, скоро из-за роз моих сосен и не видно стало.

И тут в моей жизни случилась Майка.

То есть, конечно, она случилась раньше. Сразу, как меня привезли к папе и нас познакомили. Но она была просто девочка. Ну, сестра. Ну и что? Я же не обязана ее любить, да? Мы скорее были соседками по комнате, чем подружками и уж тем более сестрами. Она все время смотрела на меня как-то выжидающе и замолкала, как только я входила в комнату, даже если до этого щебетала с родителями. И я бы, может, и не против была как-то с ней общаться, но как начать я не знала. Даже самокат ей не нужен! И вот однажды утром я приехала на пустырь (в рюкзаке три бутылки воды и лопатка), начала поливать и услышала, что кто-то звякнул велосипедным звонком. Поднимаю голову — а это Майка. Я так опешила! Она неловко улыбнулась, поставила велосипед на подножку, будто сюда нельзя на велосипедах, подошла и сказала застенчиво:

— Я думала, ты вампир. Исчезаешь куда-то по ночам.

— Я по утрам.

— А я только недавно поняла, что по утрам.

Я молчала, не знала, что сказать. Вроде бы должно быть неприятно, что она за мной следила, но она так меня насмешила этим вампиром... да и следила, наверное, не специально. Проснулась просто, а меня нет.

— Если хочешь, я никому не скажу, — пообещала Майка.

— Да ладно, — улыбнулась я. — Никакой тайны нет. Просто не люблю, когда пристают с вопросами.

— А хочешь, я тебе короткую дорогу покажу от дома? А то ты по длинной едешь.

— Хочу.

Ну а потом про меня узнали. Сначала в городской газете появился репортаж про пустырь, что вот, мол, неизвестный посадил там розы. Но я не видела этой статьи и поехала утром, как обычно. А там журналисты. Меня ждут. Прямо засаду устроили. Смешно. Взяли у меня интервью. Я им объяснила, что просто мне хотелось, чтобы было где гулять. Чтобы было красиво. А про бабушку не стала говорить ни слова.

Про нее — только дедушке. Он положил мне ладонь на макушку и сказал, что я молодец. А еще мне кажется, папа догадался. После репортажа по телевизору он долго смотрел на меня в задумчивости и молчал. И на следующий день, и потом. И только дней через пять, когда мы закрывали веревочный парк, вдруг предложил:

— Знаешь, за границей вроде обычай есть такой… ставят скамейки в общественных местах в память о каком-нибудь человеке. И табличку прибивают, на которой можно написать хорошие слова. Я подумал… может, поставим такую скамейку в память о твоей маме? Ну, там, где ты розы сажала.

Мой папа… он такой. Не умеет говорить о главном. Я, наверное, в него пошла.

— Я совсем ее не помню, — ответила я ему.

— Зато я помню.

Скамейка хорошая получилась. Крепкая и надежная. Доски папа выстругал сам, а металлическую основу заказал у знакомых мастеров. Я покрыла доски лаком. Только мы не смогли придумать никаких хороших слов, чтобы написать на табличке. Поэтому написали просто: «Скамейка в память о Веронике Савельевой. Спасибо, что ты была с нами».

Про скамейку я тоже рассказала дедушке, когда в следующий раз приехала к нему в гости. И он ответил, что надпись хорошая, лучше и не надо. Мы одновременно посмотрели на наш сметанный дом, утопающий в бабушкиных розах. Дедушка вздохнул. Он еще не знает, но я все для себя решила: я никогда его не брошу. Пусть не боится старости. Я буду рядом.

ЕСЛИ ТЫ ВОЗДУХ

«Вот вы все там, а у нас тут — грушепад! Груши падают, бьются о тугую землю — туп, туп, туп-туп! Можно каждый час по ведру собирать. Они мелкие и сладкие. Туп-туп-туп — ведро. Туп-туп-туп — второе. Тёка ходит и раздает груши соседям. Вчера ее за груши угостили ведром молодой розовой картошки. Сегодня мы ее наварили. Она дымится в разломах, и кажется, что пыхтит. Туп-туп-туп, пых-пых-пых, такая у нас тут музыка. Я бросила в кастрюлю большой кусок масла. Оно плавится и блестит. Тася и Нюся сидят на крылечке, прижавшись плечами, уткнувшись в одну книжку, кажется про Буку и Бяку. Такие они лапочки, когда рядышком сидят и в книжку смотрят — молча».

Карина нажала «отправить» и посмотрела на сестренок.

Ее бесит кошачье имя Нюся, и сестру Аню она зовет Энни. Таська услышала и заныла: тоже хочу «иностранное имя»! Карина стала называть ее Таис, жалко ей, что ли? Потом они потребовали иностранного имени и для нее самой, и так Карина стала Кэрри. Сестренки уверяют, что это секретные имена и при взрослых их нельзя так называть. Будто взрослым есть дело до того, как они друг друга называют! Но Таис всего шесть лет, а Энни — пять. Они еще верят, что взрослым не все равно. А Карина — уже не нет. И у нее имеются на это причины, уж точно.

«Небо по вечерам такое нежное, будто только что проснулось. Хочется гулять до темноты

с мальчиками, с красивыми какими-нибудь. Но Тёка меня, конечно, не отпускает, можете быть спокойны. Да и мальчиков тут никаких нет, кроме Петьки-сами-помните-какого. Так что остается мне вышивать крестиком цветочки, читать малявкам сказки, тосковать, что „годы проходят, все лучшие годы“, но, видно, таков удел старших сестер, оставленных дома...»

Энни — дочка Карининого папы и его жены Вики, а Таис — дочка Карининой мамы и ее мужа Саши. Получается, что Карина — старшая сестра им обеим. Не то чтобы ее бесит быть старшей сестрой. Не бесит, и временами даже нравится. Если не думать, что ее бросили.

«Вчера ходили на речку, вода — парное молоко! Правда, нереально теплая! Девчонки купались, наверное, час. Потом ловили лягушек в канаве, а потом пришел Петька, и пришлось уйти. Как всегда, он умудрился испортить прекрасный день. Но, похоже, это теперь в моде».

Родители ее бросили. И те и другие. Прямо удар под дых. Не ожидала она от них. Она их любила. Тех и других.

— О, стихи получились!

Карина записала на листочке цветной бумаги, из которой девочки делали аппликации:

Не ожидала я от них.
Я их любила,
И тех и других,
Они меня бросили,
Такой вот удар под дых...

— Карина! Зови девочек обедать! — кричит с летней кухни Тёка.

Карина зовет девочек. Они бегут, стараясь опередить друг друга, каждая хочет первой усесться за стол — у них все наперегонки. Масло наконец растаяло в кастрюле с молодой картошкой, запеклось желтой лужицей. Тёка покупает масло у знакомых, которые держат корову; оно настоящее, даже пахнет по-другому. Такой запах, вдруг вспомнила Карина, стоял всегда на кухне в Петькином доме... Она замотала головой. Какой еще Петька? Не знает она никакого Петьки и знать не хочет! И запахов никаких не помнит!

«Над дорожкой у нас тут нависает ветка яблони, и когда идешь мимо, большое зеленое яблоко крепко ударяет по плечу. Но никто не срывает это яблоко, и ветку тоже не срезает. Мне кажется, всем втайне нравится (хоть и больно вообще-то), как яблоко по плечу стукает. Будто лето говорит: „Здоро́во, друг! Я тебе радо!“ Зимой ничего подобного не будет, даже не надейтесь».

Карина им отомстит. Она объединила их в один чат в вайбере, и будет писать только самое прекрасное про дачу, и девчонок, и Тёку, про то, какая тут красота и теплынь. Пусть умрут от зависти на своих Казбеках и Монбланах!

Карина тут же пугается этих мыслей: разве можно так думать, когда люди собираются восходить на Казбек и Монблан? Не надо чтобы умирали, дорогое и любимое мироздание, нет-нет, пусть вернутся домой! Хотя ей, конечно, обидно. Ужасно обидно! Она тоже хочет путешествовать! Но родители, видимо, решили, что с нее хватит.

«Посмотрела твой старинный блог, мам. Оказывается, я была уже в Альпах, так что, папа, передавай от меня привет Монблану. Может, он помнит меня, старушку. Извинись, что я его — нет».

Карина посмотрела на сообщение: не слишком ли? Но вспомнила, как папа мямлил и оправдывался, и решила, что нет, не слишком.

Когда ей было два месяца от роду, родители вместе с ней отправились в кругосветное путешествие. За два года она побывала в двадцати трех странах мира. В интернете до сих пор можно наткнуться на ссылки на мамин блог о «самой юной путешественнице земли». Куча фоток с крошкой Кариной — на руках у тибетских монахов и непальских шерпов, на спине у слона в Индии, на чайных плантациях Китая, в лодках Вьетнама, в сирийской пустыне и среди милых черепашек на пляжах Турции. И так далее, и тому подобное...

Жаль, что Карина помнит себя только лет с трех-четырех. К этому времени родители угомонились, осели в самом обычном провинциальном городке, обросли работами-дачами и развелись, нашли себе «новых спутников жизни». Живет Карина с мамой и ее новым мужем дядей Сашей. А каникулы, абсолютно все, проводит с папой и его женой Викой. Так родители договорились при разводе. Мама работает в школе, у нее отпуск только летом. Поэтому все походы, восхождения, сплавы, пещеры и прочая-прочая-прочая — это все мама с дядей Сашей без Карины. Карина едет с папой, Викой и Энни на море, или в семейный лагерь, где Вика ведет мастер-класс по авторским украшениям, или к Тёке на дачу (и тогда мама подкидывает им еще и Тасю). Но никаких приключений, никакого экстрима, никаких путешествий длиннее одного дня в дороге.

А этим летом они вдруг собрались в Альпы! Папа с Викой! Ходят обойти вокруг Монблана! И что?

— Каришка, прости, пожалуйста, но, понимаешь, Викуся так устала и… в общем, мы решили, что мы так давно не отдыхали вдвоем и… не могла бы ты поехать с Нюсей к Тёке? Всего на месяц! А потом мы что-нибудь интересное придумаем для тебя…

Он издевается, да?!

Мама тоже ужасно разозлилась. Карина подслушивала, как она с дядей Сашей это все обсуждала.

— Каникулы — его время, как он мог! Тем более в таком возрасте, когда кажется, что весь мир против тебя и…

— Ну давай возьмем ее с собой.

— Ты с ума сошел! Мы же не на прогулку! Это опасно!

То есть в кругосветку с младенцем было не опасно, а сейчас, когда ей стукнуло четырнадцать, на Казбек — опасно? В логике маме не откажешь. Дядя Саша тоже на это намекнул:

— Ну, она же закаленный товарищ, с рождения в путешествиях.

— Там совсем другое! И потом, мы были малолетние придурки! Сейчас вообще не понимаю, как я могла на такое подписаться?

Надо же… а Карина была уверена, что они гордятся тем своим путешествием, и ею, и вообще.

Про то, что ее не берут на Монблан, а отправляют к Тёке, папа сказал ей по телефону. В глаза, наверное, страшно было. Папа вообще не очень-то смелый. Мама говорит, он с детства такой. Они выросли вместе. Мама — дочка Тёки, а Тёка — папина мачеха. Когда папа был совсем маленький, его настоящая мама умерла, и он ее не помнит. А когда папе исполнилось десять, его отец женился на Тёке, у которой была восьмилетняя дочка. Так что Каринины родители выросли вместе. Мама говорит, что они с папой поженились не по любви, а просто потому, что… как же она это называет? А, по пути наименьшего сопротивления, вот! Вроде как рядом хороший человек, от добра добра не ищут, и все такое прочее. Очень приятно это слышать, ага. Но мама ужасно честная, иногда прямо до тошноты.

А папа — он другой. Он говорит про маму:

— Она такая трогательная была в детстве, такая ласковая. Называла меня братиком. Рассказывала обо всем. Прибежит в семь утра в воскресенье и давай все свои сны пересказывать… Если бы не она, я бы к Тёке долго привыкал, ну и вообще к новой жизни. А когда выросли… не знаю, я свою жизнь без нее вообще не представлял, пришлось жениться. — Тут он обычно смеется, но как-то не очень весело.

И Карина понимает, что он любил ее по-настоящему, сильно.

Он, может, и сейчас ее любит.

Вот и получается, что Тёка у Карины — одна бабушка с обеих сторон (а дедушки не осталось ни одного). И папе с мамой у нее в гостях приходится часто видеться. Вика старается к Тёке не приезжать. Карина понимает: родители вряд ли снова сойдутся, слишком уж они разные. Но все-таки хорошо, что они нормально общаются, «как цивилизованные люди». Наверное, это потому что они выросли вместе, почти как сама Карина с Петькой. (О, ну вот опять он выплыл! Надоел уже!) А еще родители жалеют Тёку. Ее-то их ссоры ужасно расстраивают.

«Ваши милые девочки (и я не о себе сейчас, заметьте) устроили вчера такую потасовку, что мы с Тёкой еле их растащили! А все почему? Потому, что пришел Петька-сами-помните-какой и они его не поделили! Честное слово! Драка за то, с кем он рядом сядет! С ума сойти! Но не волнуйтесь, все живы, можете и дальше покорять свои прекрасные горы. Вика, тебе там не сильно сложно?»

Вообще-то Вика не хотела ни в какие Альпы. Вика хотела в Ниццу. Но папа ее уговорил. И теперь они там, топают среди прекрасных гор и лесов, спускаются в долины, поднимаются на перевалы, вдыхают потрясающий воздух. Будем верить, что Вика не вынесла папе мозг за такой вот отпуск.

«Я бы не ныла. Я бы шла-шла-шла», — думала Карина, глядя как Таис и Энни пытаются залезть на качели, толкаются, пыхтят и вот-вот опять подерутся. Петька придерживал качели, но вмешиваться в процесс и не думал. Только весело поглядывал на Карину, будто спрашивал: «Смешные они, да?» Ага, обхохочешься.

Петька Глухов живет через два дома от Тёки, и это он придумал ее так называть. Просто когда он был очень маленький, то очень быстро говорил, и «тетя Катя» у него сливалось в «Тёка». Карине это ужасно нравилось, и она тоже стала называть бабушку Тёкой, а за ней и все остальные.

Карина вздохнула. В том нежном и глупом возрасте ей нравилось все, что делает Петька.

А потом он разбил ей сердце.

«Ух! Вот вы пишете, что хорошо до места добрались, мам, дядя Саша, круто, а у нас тут такое! Представляете, вчера пришли на речку, а там натянули такой канат или веревку, я даже не знаю, что-то вроде тарзанки, но — ха-ха! — не так, как вы подумали, а со скалы! Да, с той самой, что напротив пляжа! Представляете! Я даже не знаю, она ведь с дом, да, пап? Пять этажей, не меньше! И какие-то неместные оттуда прыгали! Садились в подвеску и — вниз! Одуреть! Но самое миленькое знаете что? Что Петька тоже прыгнул! Переплыл реку, забрался на скалу и уговорил их пустить его! Я чуть с ума не сошла. Не из-за него, не переживайте, все в прошлом, я холодна и равнодушна, но как визжали наши малявки!!! И как они его встречали после прыжка! Как будто с войны! Хорошо, что приземление в реку. Я вот уверена, что кое-кто намочил штаны».

Карина вздохнула. До сих пор валяются везде осколки ее разбитого сердца, и она ходит и натыкается на них повсюду: тут они с Петькой учились стрелять из лука, а здесь он первый раз ее поцеловал, ну точнее чмокнул в щеку. А вот здесь… да, а здесь — разбил ее сердце. Вдребезги. Это случилось два года назад, им тогда было по двенадцать лет. И кто скажет, что все несерьезно, тот просто в двенадцать лет не влюблялся. И его не предавали. А Петька ее предал. Ушел гулять с Миленой. Какой-то Миленой, которая вдруг объявилась в поселке! Приехала к бабушке на дачу. Такая вся… невыносимо прекрасная. Конечно, Карина с Петькой знают друг друга сто лет, он ее какой только не видел: и промокшей насквозь, и извозюканной в саже и грязи, и поцарапанной, в драных шортах, непричесанной, один раз она при нем даже описалась! Да, была причина (огромная собака), да, она была совсем крошкой (пять лет), но факт остается фактом. А тут эта Милена! Нежная, легкая, красивая, в невероятном платье. Да чего там! Карина сама была готова влюбиться!

Но она не была готова, что влюбится Петька. Ее Петька!

«Ничего не грубо, мам, потому что естественно. Конечно, при взгляде на Казбек, наша скала не кажется такой уж высокой, но нам сравнивать не с чем. Мы таких гор и не видели, так что нам и наша скала как Казбек. Ничуть не хуже».

Милена уехала через месяц. И, конечно, этот несчастный вновь появился у калитки Тёки. Но было поздно! Поздно! Карина его не простит. Никогда. Она сухо и холодно разговаривает с ним до сих пор. Про себя зовет Глухая тетеря или Глухня, хотя всегда считала, что клички, образованные от фамилии — самые тупые. Но она очень хочет его ненавидеть.

— Петя такой молодец, — говорит вечером Тёка.

Мордашки умыты, книжки прочитаны, колыбельные спеты. Энни и Таис крепко спят. Тёка и Карина сидят вдвоем на террасе, пьют чай. На коленях у Карины устроилась Муська, мурлычет. Тёкино умильное про Петьку Карина игнорирует. Тёка уже два года пытается их помирить. А чего пытаться? Они не в ссоре. Карина его не прогоняла. И даже терпит его присутствие за их столом. И даже восторги девочек по его поводу терпит. Чего им всем еще надо? Карина гладит Муську между ушей. Как Петька прыгнул сегодня! Конечно, в обвязке, конечно, со страховкой, но сердце у нее даже стучать перестало на какой-то, очень долгий, миг. Она хотела зажмуриться и не смогла, а Петька летел и летел, и было так страшно за него, так жутко и так красиво… И только когда он коснулся воды, она снова задышала. Будто это не он, а она летела со скалы.

И так он посмотрел на нее, когда выбрался на берег… И пока девчонки визжали и обнимали его, он все смотрел поверх их голов на нее. А она маме и остальным про мокрые штаны… Правда ведь — пошло и грубо. Она вообще ненормальная какая-то! Ну, что ей эта Милена? Она и не появлялась больше в поселке вроде, а если и появлялась, Карина ее больше не видела. И Петька ни разу и словом о ней не обмолвился.

— …взял и прочистил нам раковину! А то ждали бы папу… Так хорошо, когда у парня руки на месте.

— Лучше бы голова была на месте, — бурчит Карина.

— Ты ведешь себя ужасно, — вздыхает Тёка. — Ты что, сама никогда в жизни не совершала ошибок?

Карина молчит. Ну, совершала, конечно. Она ж не святая.

— Знаешь, твои родители… они ведь тоже с детства друг друга знают, почти как вы с Петей. Может

и к лучшему, что вы с ним так надолго рассорились. Потому что должна быть какая-то тайна в близком человеке. Какая-то загадка.

— Думаешь, мама с папой поэтому разошлись? — спрашивает Карина. Она никогда Тёку про это не спрашивала, берегла, а тут вырвалось. Но Тёка спокойно ответила, задумчиво:

— Не знаю, милая. Кто же разберется… Иногда встречаешь человека и чувствуешь, что тебе даже дышать без него тяжело. А потом так привыкаешь, что дышишь и не замечаешь, и понимаешь, что он нужен как воздух, только тогда, когда его больше нет… Ты задыхаешься, и надо как-то заново научиться дышать.

— Ты про дедушку, да?

Тёка не отвечает… Все понятно и так.

Тихо стукает калитка. Карина откуда-то знает, что это Петька.

— Мама булочки испекла, отправила вас угостить. А девочки уже спят?

— Садись, Петенька, чаю с нами, да? Карина, принеси чашку.

— У меня Муська спит на коленях.

— Я сам схожу.

Петька скрывается в доме. Карина гладит Муську, щеки ее горят.

— Зачем ты так с ним? Может, ты его воздух, и перекрываешь ему кислород…

— Что мне с ним, целоваться теперь?

— Целоваться не обязательно, но можно же вести себя по-человечески.

Петька возвращается на террасу. Без кружки.

— Не нашел.

— Бери мою, — вдруг говорит Карина. — Я уже допила.

Тёка улыбается ей через стол, потом задумчиво смотрит вдаль.

«По вечерам Тёка заваривает самый вкусный чай. Не знаю, что она туда добавляет, может, какое-то зелье? Потому что иначе как помутнением рассудка я не могу это объяснить: я сегодня простила Петьку, и мы пошли гулять. По берегу реки, мимо скалы, потом по кромке леса, там, где велосипедная дорожка, но в полночь уже какие велосипедисты, конечно… Вы замечали, что по ночам все травы и листья на деревьях пахнут сильнее? Просто с ума сойти, как они пахнут. Мы с Петькой полчаса, наверное, нюхали всякие листики. У вас что там, связи нет? Что-то давно вы мне ничего не пишете».

Мама с дядей Сашей уже спустились с Казбека, уже добрались до цивилизации. Скоро приедут. Они прислали кучу фотографий себя и гор, себя на фоне гор и без гор. И были такие красивые и счастливые, что Карина перестала злиться. Пусть. У нее все горы впереди. Даже Петьку можно будет уговорить, раз он высоты не боится.

Потом написал и папа. И тоже прислал фотографии. Вика выглядела уставшей, но так смотрела на папу, что Карина как-то сразу поняла: он — ее воздух. И как бы ей ни хотелось в Ниццу, с ним она готова даже на Монблан. И так хочется ей, наверное, хоть иногда, чтобы только вдвоем…

«Я люблю вас», — написала Карина в общем чате. И ничего добавлять не стала, пусть понимают, как хотят.

— Кэрри! Кэрри! Пьер пришел! Кэрри!

Они идут гулять. Все вместе, вчетвером: Кэрри и Пьер, Энни и Таис.

Тёка обещает испечь к ужину пиццу.

Карина стоит на берегу, держит Энни и Таис за руки, чувствует затылком горячее Петькино дыхание, смотрит на золотые блики на воде… И думает, какое чудесное получилось лето. Даже без Монблана.

БГ

Моя мама любит все, что БГ. Она любит песни Бориса Гребенщикова, книгу «Белая гвардия», моего папу — Белоконева Гришу и меня — БГ ребенка.

— Я люблю тебя, Галчонок. Я люблю тебя больше всех!

Меня зовут Белоконева Галя, так что я — дважды БГ.

Я — безглютеновый ребенок. БГ. Так мама меня называет. Говорит, что это поддерживало ее в те дни, когда мне наконец-то поставили диагноз. У меня целиакия. Не самая страшная болезнь на свете. Просто не надо есть булки. И тортики. И хлопья. И макароны, если только не специальные. Кашу мне тоже нельзя какую попало. В общем, всё, где содержится глютен, — не для меня. А есть он почти везде, даже в колбасе, даже во многих йогуртах! Поэтому мы с мамой всегда смотрим состав продуктов.

Мне нетрудно так жить. Я же не помню времени, когда было по-другому. Целиакию у меня нашли в три года, а до этого я постоянно болела и болела. И не росла. Сейчас расту. Я все еще худая, но по росту уже догнала одноклассников. Я ничем от них не отличаюсь. И вообще не догадаться про мою болезнь, пока не увидишь термосы. У меня их два: один для еды, ярко-зеленый с желтыми зайцами, и второй питьевой, голубого цвета и без картинок. Я так сроднилась с ними, что даже всем зайцам дала имена: Прошка, Крошка, Соня, Морячок и Морковкин. Иногда, правда, забываю термосы в столовой, если заболтаюсь, но мне всегда приносят. Вся школа уже знает, что это мои. Все привыкли, даже не спрашивают. У нас в классе Рома есть, у него сахарный диабет, и он все время замеряет себе сахар. Его тоже не спрашивают, что это он делает. Мало ли кто чем болеет.

Один раз только новенький, Данил, спросил у меня:

— А когда ты выздоровеешь?

— Никогда, — говорю, — это никак не лечится. Поломка гена.

— Вообще никогда? И никогда не будешь есть булочки?

Будто в булочках счастье! И вообще, мне мама булочки печет! Из рисовой и кукурузной муки, очень вкусные, между прочим! Меня даже в начальной школе на дни рождения чаще всех приглашали, потому что мама договаривалась с родителями именинника, чтобы мы сами испекли большой торт. И пекла безглютеновый, и очень вкусный, всем нравилось. Она так делала, чтобы я случайно не съела обычный торт. Ну или еще зачем-то, я не знаю.

С Данилом мы потом подружились, он оказался очень хороший. Его все у нас в классе сразу полюбили. Мне и Лерке вообще повезло, потому что мы втроем жили в соседних домах и из школы ходили вместе. Лерка — моя лучшая подружка с первого класса. Я в садик не ходила из-за целиакии, и до школы у меня подруг вообще не было. А с Леркой мы сдружились сразу. Потому что мы хорошо друг друга дополняем, так наша первая учительница, Ольга Ильинична, говорила. Это правда. Лерка темненькая, а я — светленькая. Я худая и маленькая, а Лерка… нет, не толстая, но такая… бабушка бы сказала «справненькая», и высокая. У Лерки пятерка по математике и физике, у меня — по истории и литературе. А недавно к нам психолог приходил, мы писали тесты и выяснили, что я — интроверт, а она — экстраверт.

— Противоположности сходятся, — вздыхает мама.

А Данил у нас как мостик. Так мне иногда кажется.

Я не знаю, влюблена ли Лерка в Данила, но я, наверное, немножко влюблена. Не в том смысле, что мне хочется с ним целоваться, а в том, что мне без него скучно и хочется, чтобы он все время с нами ходил из школы, и в школу тоже. И я постоянно ищу его глазами, когда мы куда-нибудь всем классом идем. И еще на переменах. И я ужасно, просто ужасно скучаю, когда он болеет… С Леркой мы никогда Данила не обсуждаем, будто у нас уговор.

Лерка и Данил — самые близкие мои люди после мамы с папой.

Еще у меня есть бабушка. Она очень смешная. Никак не может поверить, что я болею чем-то и что мне правда-правда нельзя ни кусочка пиццы. Она считает мою целиакию выдуманной и несерьезно к этому всему относится. Бабушка живет на Камчатке. Она работает в какой-то парфюмерной компании, которая выращивает разные травы, а из них делает относительно натуральную косметику. «Относительно» — так бабушка говорит. Мы с ней только по скайпу видимся, и то редко, у них там связь не очень.

Но однажды бабушка приехала в гости! Мне было уже восемь лет, и я помню их с мамой разговор. Правда, это скорее был скандал. Я его запомнила, потому что первый раз слышала, чтобы мама так с кем-то разговаривала. Так… м-м-м… стиснув зубы. Просто бабушка привезла мне печенье. Здоровую железную коробку. Торжественно вручила. У мамы побелели глаза от ярости. Она сказала:

— Галчонок, тебе нельзя.

Бабушка. Что за глупости!

Мама. У нее целиакия, мама.

Бабушка. Да что будет-то с одного раза!

Мама. Ей нельзя ничего, в чем содержится глютен. Ни одного раза.

Бабушка. Я что, каждый день ее печеньем кормлю?! Я к вам каждый день, что ли, приезжаю?!

Мама. Мама! Ну, как ты не понимаешь? Дело не в «одном разе», точнее да, именно в нем! Так каждый раз можно говорить: один разочек всего, ничего не будет…

Бабушка. Ну, а что будет-то?

Мама. Рвота, понос, боли в животе, атрофия ворсинок кишечника, отставание в развитии, бесплодие, рак, все что угодно может быть! Это для тебя достаточно убедительно?

Бабушка. Что ты такое говоришь! Ты с ума сошла такое говорить!

Мама. Это ты с ума сошла — привозить ей печенье! Ты бы еще ватрушек напекла и булочек…

Бабушка. Была такая мысль…

Мама. О-о-о-о-о-о-о-о! Я больше не могу!

Бабушка. Напридумывают болезней! Как мы раньше жили, один хлеб ели? Как вообще можно без хлеба жить?

«Можно, — подумала тогда я. — Я же живу».

Печенье родители и бабушка съели на вечерних посиделках на кухне, когда я уже спала. Мне досталась коробка. Она была умопомрачительная! Красивая и большая. Я стала хранить в ней свою коллекцию фотографий. Я собираю фотографии листьев.

Я сама придумала такую коллекцию. Просто я очень люблю листья. Но гербарий — это долго и нудно, поэтому я их фотографирую. Каждый листик, который мне понравился. А потом распечатываю. Папа говорит: зачем, бессмысленно же? Можно все в компьютере хранить. Но мне в компьютере не нравится, фотографии там какие-то неживые. А так я их часто достаю, перебираю, разглядываю, иногда вешаю над столом. Стараюсь подписывать фотографии, хотя бы число и место, где я этот листик увидела. Хорошо еще подписывать, с какого он дерева, только я не все деревья знаю.

Но вот есть вещи и правда бессмысленные. Бессмысленно дарить мне печенье даже в самой красивой коробке (хотя коробка очень даже пригодилась!). Бессмысленно объяснять бабушке (и многим вообще) про мою болезнь. Мама меня научила:

— Галчонок, ты если что, говори, что это как сахарный диабет, только про глютен, ладно?

— А если они не знают, что такое глютен?

— Ну, а ты говори — это все, что злаки. Уж злаки-то, наверное, знают.

Бабушка приехала в отпуск и жила у нас почти месяц. На третий день она напекла пирожков. С картошкой, капустой, мясом.

М а м а. Мама!

Б а б у ш к а. Дочь! Спокойно! Я все сделала правильно! Я добавила рисовую и кукурузную муку!

М а м а. Куда добавила?

Б а б у ш к а. В тесто.

М а м а. А тесто из чего?

Б а б у ш к а. Обычное тесто: дрожжи, мука, яйца… Но простой муки мало! Всего ничего! Там еще ржаная мука, рисовая и кукурузная, а пшеничной чуть-чуть, только для эластичности.

М а м а *(безнадежно вздыхая)*. Галчонок, давай откроем волшебный шкафчик. Пирожки папа завтра на работу заберет.

В волшебном шкафчике лежат всякие безглютеновые вкусности. Они дорогие, поэтому я не ем их каждый день, а только по праздникам или когда грустно.

— Ну, я просто не знаю, чем ее порадовать, — растерялась бабушка, глядя, как я уминаю амарантовые подушечки.

— Своди ее в кино, — предложила мама.

И мы пошли в кино. На мультик, очень смешной. Бабушка пыталась купить мне мороженое, но я покачала головой.

— Прости, я автоматически, — сказала она. — Мне нужно привыкнуть.

— Привыкнешь, — утешила ее я. — Все привыкли.

Я тоже привыкла. Однажды в четвертом классе Лерка заманила меня в кулинарию, у нас как раз открыли около школы. Вот что мне там делать? А она:

— Ну давай зайдем, ну, посмотрим! Мне папа денег дал, давай по одной только пироженке!

Знает ведь, что мне нельзя, а все равно уговаривает. Я тогда подумала: ну ладно, зайду просто с ней. Зашла. Там так умопомрачительно пахло! Я до сих пор этот запах помню, хотя уже три года прошло, раз я в седьмом классе сейчас. И Лерка купила два пирожных. И я не устояла. И съела. Вкусно так было! И ничего со мной не случилось. Вообще! Ну, немного тошнило вечером, но это, наверное, оттого, что много масляного крема. С непривычки просто. Ну и через два дня мне показалось, что у меня температура. Но может, просто показалось! И на следующий день мы опять туда зашли. И через день — тоже. И все было нормально почти, только кашель небольшой по ночам, но мало ли! Что я, просто простыть не могу? А в остальном-то — вообще все хорошо! Я даже подумала, может, я уникум и у меня все прошло? Я ела пирожные каждый день, и Лерка тоже говорила:

— Вот видишь! Все с тобой в порядке! Может, это вообще врачебная ошибка?

Ну не знаю… Мы же в больнице лежали, и мне делали биопсию. Кошмарная процедура, говорят, но я не помню, мне делали под наркозом. Может, я уникальная такая и вылечилась?

В общем, все это длилось неделю. А потом случилось такое страшное, что не могу вспоминать до сих пор. Я пукнула. Сильно. И долго. На уроке, когда отвечала у доски. Это было ужасно. Я так растерялась, что не могла даже пошевелиться. И весь класс тоже застыл и смотрел на меня. Никто не смеялся и не морщился, только смотрели... Тогда я обхватила живот руками, как будто он сильно заболел, сложилась пополам и упала на пол. Я вся сжалась в комок и спрятала лицо, уткнулась в пол. Ольга Ильинична бросилась ко мне — она подумала, что мне плохо. Но я просто притворялась, чтобы не умереть от стыда. Ольга Ильинична отправила Лешу за медсестрой, а сама быстро позвонила маме. Меня увезли домой. Пришлось рассказать про кулинарию. Я старалась не сваливать все на Лерку, ну, что она меня уговорила. Боялась, что мама запретит мне с ней дружить. Но мама все равно звонила ее родителям, долго разговаривала с ее мамой и с Леркой. Та потом на меня набросилась:

— Почему ты не сказала, что это так серьезно? Тебе даже нельзя есть из той посуды, которая соприкасалась с мукой, а ты! Пироженки, кексики! Совсем больная?

Я даже рассмеялась тогда. Конечно, больная! Но главное, что мы с Леркой по-прежнему дружили! А про то, как я опозорилась, в классе никто не говорил. Наверное, им Ольга Ильинична велела. Но мне все равно было ужасно стыдно. А еще мне стало казаться, что ко мне как-то по-другому все начали относиться… как к бомбе замедленного действия. Будто даже задерживают дыхание, когда оказываются со мной в одной команде, например, на физкультуре.

Хорошо, что все это случилось до того, как к нам в класс пришел Данил.

Я вообще не представляю, как мы раньше без Данила жили! С ним же все в сто раз интереснее! Он, например, угощал меня сосульками:

— Самое чистое безглютеновое мороженое!

И правда было так вкусно!

Он мог позвонить, если ему где-нибудь встретился красивый листик:

— Около цветочного магазина сумасшедшей красоты лист лежит! Давай скорее, я его караулю.

И я бежала! И его листья всегда были умопомрачительные.

Особенно много их накопилось к ноябрю. Я люблю ноябрь. Он темный, хмурый, молчаливый. Воздух жгучий и кусачий, пахнет зимой. Мама печет мне специальные вафли на завтрак и варит глёке. Это такой финский напиток из сока и пряностей.

В ноябре у Лерки день рождения. Мама давно уже не готовит общий безглютеновый торт на все детские дни рождения, куда я приглашена. Она знает, что теперь у меня хватает мозгов, чтобы не есть обычные торты. Я научилась пить чай с фруктами. С яблоками, например, очень вкусно.

В этом году Леркины родители сделали ей умопомрачительный подарок: разрешили позвать ребят на настоящую вечеринку! Наготовили всего, а сами ушли. Лерка пригласила весь класс.

— Оторвемся! — радовалась она.

Но все было как обычно. Сначала ели, потом играли в «Твистер» и «Крокодила», потом танцевали. Мы с Данилом даже станцевали два медленных. В шутку, конечно, мы же не пара — просто так, дружим. Он и с Леркой потом танцевал, и это было немножко смешно, потому что Лерка выше Данила. После танца они долго на балконе стояли и говорили. Я тоже хотела к ним выйти, но меня что-то отвлекло, кто-то что-то спросил, а потом я случайно отгадала слово в «Крокодиле», пришлось идти играть…

Потом принесли именинный торт.

Лерка задула свечки.

Все уже выпили чай, и кто-то стал опять танцевать, девчонки фоткались, Вадик с Катей убежали целоваться в соседнюю комнату, а Лерка вдруг пристала:

— Галь, съешь тортик.

Я даже виноградинкой поперхнулась.

— Ты чего? — говорю. — Мне же нельзя.

— Да ладно тебе! — смеется Лерка и сует мне прямо в рот кусок торта.

Я тоже смеюсь, но сжимаю губы. Это почему-то раззадоривает Лерку, и она еще сильнее тычет мне в губы свой торт дурацкий. Кто-то делает музыку громче. Прямо вот очень громко. Я все еще пытаюсь смеяться сквозь сомкнутые губы, но мне делается вдруг страшно. Я замечаю, что все толпятся вокруг нас и в глазах — настоящий азарт. Будто бы даже кричать начинают:

— Давай, Лер, накорми ее! Давай! Да здравствуют тортики и булки, долой бэгэ!

Или это музыка так орет и мне кажется?

Вдруг кто-то хватает меня за руки сзади. Так сильно, и захват такой, как наручниками, сразу ясно, что парень. И кто-то еще держит мой лоб, и голову, и плечи. Они словно связали меня своими руками, липкими от крема, и суют мне в рот какие-то сладости, и я ору, потому что они психи что ли?! Они же всё про меня знают, мы же вместе учимся с первого класса! Они же сами всегда термос мне приносили, если я забывала в столовой! Мама каждому из них на день рождения безглютеновый торт пекла, когда я маленькая была! Да они что?!

Вокруг меня стена. Стена из одноклассников. Я ищу глазами Данила и не нахожу. Я кричу, и рот мне тут же затыкает сладкий комок, и все кричат «ура», и засовывают в меня еще и еще, и я глотаю, потому что иначе задохнусь. Щеки у меня жирные и сладкие, куски крема падают на платье. И всё держат и держат меня чьи-то руки, они все так счастливы, что им удалось меня накормить тортом, эклерами, всем тем, чего я не ела никогда в жизни, сделать меня такой же, как они, пусть ненадолго, пусть насильно, ура, ура, они запихнули в меня весь этот глютен…

— Ну вот видишь! — говорит Лерка. — И ты даже не умерла.

Я вырываюсь и прячусь в туалете. Я хочу, чтобы меня вырвало, но я не умею вызывать рвоту, не могу засунуть два пальца в рот. Это выше моих сил.

Эклеры вкусные. Торт тоже. Но во рту у меня горько и мерзко, как будто меня накормили блевотиной. У меня кружится голова. Я не умерла. У меня даже ничего не болит.

Как пьяная, выхожу из Леркиной квартиры и плетусь домой. И только у подъезда меня вдруг скручивает рвота. И я замечаю, что не обулась, выбежала в колготках. Я сползаю по стенке у подъездной двери и плачу.

Конечно, я не умерла. Я вообще буду жить долго и счастливо. Я объеду весь мир. Я нарожаю много детей. Во рту у меня так противно, что хочется вырвать

язык и все зубы, ну или хотя бы наесться холодного снега. Но сейчас начало ноября и снега еще нет. Сухой серый асфальт, сухие коричневые газоны. Соседка тетя Наташа идет с работы, видит меня, охает и, ничего не спрашивая, заводит в подъезд.

Я не слышу, о чем она говорит по телефону маме. У меня в ушах только крик: давай, давай, жри пироженку! Ты ведь даже не умерла. Хорошо было бы умереть. Прямо сейчас. Чтобы они убили меня этими своими эклерами. Но я знаю, что не умру. Сначала у меня будет болеть живот. Я буду бегать в туалет, потекут сопли, начнется ночной кашель, противный, сухой, может быть, поднимется температура, не очень высокая... И никто не узнает об этом, кроме мамы с папой. Гречка, рис, кукурузная каша на воде. Минералка. Злые и уставшие мамины глаза. Может быть, она пойдет в школу. Может — к Леркиным родителям. Я не буду ее останавливать, с какой стати? Но я не хочу больше никого из них видеть. Ни одного человека. Особенно Лерку. И тех, неизвестных, кто держал мне руки и голову. Мама обнимает меня и плачет.

— Любимая моя БГ, самая-самая любимая!

На телефоне горело: «3 новых сообщения, 2 пропущенных вызова». Я не стану смотреть, кто звонил. И сообщения читать не буду. Мама принесла мне чай с клубничным вареньем и почитала на ночь. Я люблю, как мама читает вслух, и когда болею, то всегда прошу ее почитать. Потом она поцеловала меня и ушла спать. Я лежала в темноте, укутавшись в одеяло до самого подбородка, смотрела в окно и думала. Вот бы утро никогда не наступало. Утром надо будет идти в школу. Как мне в нее идти? Даже когда я пукнула тогда у доски, было не так страшно. Да и сейчас не страшно. Я просто не могу. Не могу туда пойти. Я попрошу маму, и она переведет меня в другую школу. Не знаю в какую. В любую другую.

Но с Леркой можно встретиться и во дворе, мы же рядом живем.

И с Данилом тоже.

Я не выдержала и открыла эсэмэски. Две из них были от Данила. «Ты где?» и «С тобой все в порядке? Возьми трубку!». А одна от Лерки. «Чего ты распсиховалась-то? Шуток не понимаешь?» Я не стала отвечать ни ей, ни ему. Мне вдруг показалось, что они это все спланировали, когда стояли на балконе и разговаривали.

Среди ночи я проснулась. Лежала и смотрела в потолок. У меня на потолке выложено созвездие Большой Медведицы из таких звездочек, которые светятся в темноте. Красиво.

Я лежала, смотрела на Большую Медведицу и думала, что Данил не мог меня держать. Ну, не мог он! Я вспоминала о его листьях и о том, что он носит разные перчатки, потому что в каждой паре потерял по одной еще в начале осени и его мама рассердилась и сказала, что не будет покупать третью пару, а он сказал — подумаешь, так даже веселее. Перчатки похожие, с одинаковым норвежским узором, только одна серая, а другая коричневая. И все думают, будто так и надо, будто так модно. Все потому, что Данил надевает их с невозмутимым видом. И еще я вспоминала, как он срывал для меня сосульки — «самое безглютеновое мороженое». Еще мы с ним собирали в парке семена лип, круглые такие шарики, собирали и ели. Они вкусные, особенно в марте, когда уже падают с веток на снег…

Он не мог. Лерка могла, а он — нет.

Я таращусь в потолок и пытаюсь вспомнить, когда видела его в последний раз. Наверное, на балконе, когда он разговаривал с Леркой. Может, она его закрыла там? Случайно. Или специально. Я пытаюсь восстановить события вечера. Вот они танцуют, вот стоят на балконе, холодно, а они стоят, раздетые, я хочу выйти к ним, но угадываю слово в «Крокодиле», мы с Настей уходим в коридор загадывать новое, я показываю эти «средние века», и Рома угадывает, потом вносят торт со свечками… А кто его вносит? Я не помню. Где был Данил, когда торт вносили? Не помню!

Почему я не помню?!

Я же всегда ищу его глазами! Мы с ним даже умеем разговаривать взглядами, без слов, Лерка всегда бесится из-за этого.

Я снова включаю телефон, читаю его эсэмэски. Он был на балконе. Его закрыли. Все время гремела музыка, и даже если он стучал, его никто не услышал. Он бы спас меня.

И даже если это не так, я хочу, чтобы было так.

Утром мама не разбудила меня, и я поняла, что она решила устроить мне выходной. А может, она уже ищет новую школу. Я снова подумала про Данила. Могло ведь быть и так, что ему позвонили. Его мама, например. И он вышел в подъезд, потому что музыка играла громко. И тогда это все случилось. А пока я сидела в туалете, он, наоборот, зашел в квартиру. Увидел, что меня нет, и набрал первую эсэмэску: «Ты где?» Потом ему, наверное, рассказали, что случилось, и тогда он начал звонить. Я не взяла трубку, и он написал вторую эсэмэску.

Еще я думала про свои ботинки. Они мне очень нравились и были совсем новые. Мне их только в октябре купили. Странно, что мама вчера ничего не сказала про них. Пусть Лерка теперь приносит. Сама я к ней ни за что не пойду.

Я лежала и слушала, как мама разговаривает с папой, как они гремят посудой и потом папа уходит на работу. Мама закрывает за ним, но в дверь тут же звонят. Наверное, папа забыл что-нибудь. Но это не папа.

— Здравствуйте, а Галя уже ушла?

— Нет, — мамин голос холоднее льда. — Галя не пойдет сегодня в школу.

— А... а можно мне с ней поговорить?

Я сжалась под одеялом. «Нет, мама, нет, не пускай его, пожалуйста, не надо, не пускай! Скажи, что меня нет, что я в больнице, в реанимации, скажи, что я умерла!» Но мама его пустила.

— Посиди здесь, пожалуйста, я спрошу, хочет ли она тебя видеть, — сказала она и пошла ко мне. И я услышала, как Данил крикнул:

— Я не знал!

Чего он не знал?! Что у меня целиакия?!

Мама присела на край моей кровати.

— Пришел Данил.

Я помотала головой.

— Может, все-таки поговоришь? Не хочешь? Ладно.

Мама погладила меня по руке и вышла.

Я вытащила голову из-под одеяла. Как жаль, что я не вижу его лица!

Наверное, мама покачала головой, потому что было тихо, а потом Данил заговорил сбивчиво и торопливо:

— Да я не знал, честно! Вообще ничего не понял, что там происходит, я же чайник ставил, музыка гремит, вода шумит, ну, я слышал, что все орут чего-то, но они ведь всегда орут! Я даже представить не мог, вот правда! Я увидел, как она уже из туалета выскочила и босиком за дверь, я не понял вообще, что случилось! И я… принес ее ботинки.

— Спасибо. Что же Лера тебе не рассказала, что произошло?

— Да они вообще какие-то странные там все были! Будто пришибленные, и музыку выключили. И толком ничего не говорят, только «вот псих» и… простите… Я не думаю, что Галя псих. Можно я с ней поговорю?

— Она не хочет.

— Мам! — крикнула я.

— О, видимо, уже хочет. У нас хорошая слышимость в квартире.

Данил вошел ко мне в комнату. Встал у порога.

— Привет. Ты как?

Я пожала плечами. Он был такой же, как всегда. Пах холодным воздухом. Я не знала, можно ли верить во все, что он рассказал маме. Хотя, конечно, он такой — все время помогает убирать со стола и заваривать чай, пока остальные ржут и танцуют. Но вдруг они с Леркой придумали все эти отговорки специально? Хотя зачем это Лерке?

Данил поставил рюкзак у двери и сел на кровать.

— Тебе плохо?

Плохо?! А он думает, мне как? Я промолчала, и он смутился.

— Ну, я имею в виду… физически.

— Пока нет.

Я не знаю, как с ним говорить. Я правда не знаю. Меня будто все еще держат чьи-то руки, и я не знаю чьи. Разглядываю цветочки у себя на пижаме.

— Я хотел тебя догнать. Но, оказывается, надевание ботинок занимает очень много времени. А тоже босиком я как-то не решился. Я принес твои боты.

Киваю. Слышала, мол.

— Знаешь, они просто придурки. Самые придуристые придурки на свете! И эта Лера твоя тоже!

Я поднимаю на него глаза. Моя Лера?

— Она такая же моя, как и твоя!

— Ну, не моя уж точно! — возмущается Данил.

И мне вдруг хорошо становится. Спокойно. А Данил смотрит на стену над моим столом и говорит:

— О, я помню этот лист! Вон тот, дубовый. Это из парка, да?

— Нет, — улыбаюсь я, — это с Аллеи ветеранов.

— Да? А похож.

И я смеюсь. Конечно, придуристые придурки! И все дубовые листья похожи! Но все-таки разные.

Вдруг Данил делается очень серьезным.

— Ты ведь не уйдешь из школы? Ну, на какое-нибудь домашнее обучение?

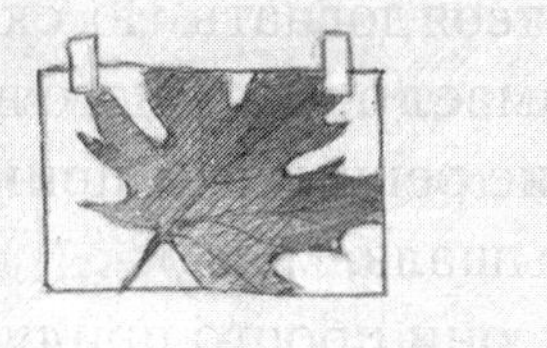

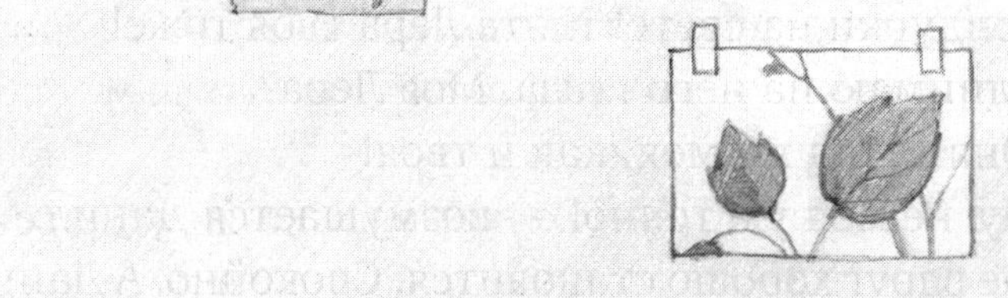

Я мотаю головой. Мама против домашнего обучения, она хочет, чтобы я социализировалась, мы это уже давно обсуждали.

— Если только в другую школу, — говорю я.

— Давай только чтобы не очень далеко. Ну, чтобы пешком можно было дойти. А то я терпеть не могу общественный транспорт.

Я представила, как мы с ним ходим в школу. В другую школу, мы оба, вместе. Как бредем сквозь ноябрь-декабрь-январь, сквозь все эти листья, дожди, снегопады, сквозь новогодние огни, а весной — сквозь дымку распускающихся почек. В школе нас сразу воспринимают как одно целое, и мы хоть и новенькие, но вдвоем. И я достаю свои термосы, с зайцами и питьевой, и мне задают вопросы, а я опять и опять на них отвечаю. Опять и опять. Снова и снова. Учителям, одноклассникам, школьной медсестре. Кто-то верит, кто-то нет, кому-то все равно, кто-то захочет проверить, кто-то будет держать…

— Нет, — вздыхаю я. — От всех ведь не спрячешься.

Данил берет мою руку. Он сжимает ее, а не целует, как можно было бы тут подумать. Он просто крепко ее сжимает, и я понимаю без слов, что он будет со мной рядом, даже если придется драться. И уж теперь-то он не пойдет ставить никакие дурацкие чайники. Он будет держать меня за руку, чтобы не потерять в толпе. Всегда.

Шесть миллионов моих шагов

Я грызу ногти. За это, между прочим, меня все ненавидят. Не думайте, что я преувеличиваю, это чистая правда! И я не про посторонних людей говорю, не про одноклассников там или учителей. Видели бы вы, как смотрит на меня мама, когда я при ней вдруг засуну палец в рот! Будто я самое отвратительное животное на свете! А ведь она обязана любить меня безусловной любовью! Ну, то есть без всяких «если...». Так нам школьный психолог говорит.

А еще родители дали мне дурацкое имя — Агафья. Можете себе представить? Агафья! Я бы поняла, если бы в честь бабушки-прабабушки какой-нибудь, так нет же!

— Нам хотелось дать тебе необычное имя... какого ни у кого не будет.

Ну-ну!

Сами они называют меня Агашей. Одноклассники — Гашеткой. Ничего, даже весело. А вот бедные учителя... Агафьей звать неудобно, слишком уж официально и сразу представляешь такую старушку божий одуванчик в белоснежном платочке. А Агашей тоже... ну, посмотрите сами, какая из меня Агаша? Во мне сто семьдесят пять сантиметров, а ручищи мои видели? Легко побеждаю всех парней в армреслинге. Кроме шуток. И характер сложный. Так папа считает. Нежно обняв меня за талию, он вздыхает:

— Ах, Агаша, ну и сложный же у тебя характер!

Угу. Но для папы-то с мамой я даже со сложным характером Агаша. И это имя для меня слишком... личное, что ли, совсем детское. Ну, пришлось мне пожалеть чужих взрослых и придумать «Агату». Я даже стала всем так представляться:

— Зовите меня, пожалуйста, Агата.

Особые интеллектуалы фыркают:

— Кристи?

Но я не реагирую. Агата Кристи вполне достойный человек.

Я, между прочим, в одной из лучших школ города учусь. Куда даже за деньги не поступить, а только если экзамен сдашь, их, внутренний. Сама не знаю, как я туда попала. Экзамен средненько так сдала. Но почему-то на собеседовании директору понравилась. Два часа, наверное, разговаривали с ним о смысле жизни, остальные ждать устали. Вообще, у них это самым страшным считается. Ну, это собеседование с диром. Мол, даже если экзамен блестяще сдал, не факт, что поступишь. Я потом слышала, как он англичанке говорил про меня:

— Отличная девчонка! Такая, знаешь, наша. С искрой в глазах.

Не знаю, что он там разглядел, какую искру. Мама вот первым делом спросила:

— Надеюсь, ты не грызла при нем ногти?

— Ну, если бы грызла, то, наверное, не поступила бы, да?

— Рада, что ты это понимаешь. — Ответила она и даже обняла меня.

Угу.

В общем, я обычная, понимаете? Обычной жизнью жила до девятого класса. Школа, три репетитора, плавание, тусня в соцсетях. Я там на нее и наткнулась. На эту бабусю Гейтвуд. Не слышали? Я вам расскажу. Это потрясающая бабуся! Я не фамильярничаю, ее так прозвали, ну там, в Америке. Она в шестьдесят семь лет одна прошла тропу Аппалачи! Представьте! Вы знаете, что такое тропа Аппалачи? Это почти три тысячи километров! Она тянется от Мексики до Канады вдоль побережья, через четырнадцать штатов, представляете? И она — прошла! Первая из женщин, между прочим.

Меня эта бабуся Гейтвуд реально впечатлила. Я начала все про нее читать, что нашла, а потом, когда нам задали сочинение на тему «Человек, которым я восхищаюсь», я про нее написала. С этого все и началось, наверное.

У нас в гимназии такой порядок с сочинениями: все пишут и выкладывают в инет, в наше сообщество. И все, кто хочет, может прочитать и оставить комментарий. В гимназии учится двести сорок пять человек, чтоб вы знали, и работает еще человек пятьдесят, наверное. И прочитать могут реально все! Хоть директор, хоть вахтер дядя Слава. Ты обязан прочитать к уроку хотя бы три чужих сочинения и прокомментировать их. Я вот ненавижу читать чужие сочинения, а уж комментировать... Но такие тут порядки. Не хочешь — гудбай в обычную школу. В общем, я написала про Эмму Гейтвуд. Бабусю. Понимаете, меня потрясла эта история. Ну, может, если бы я никогда не была в лесу, я бы не впечатлилась (многие так и писали в комментариях: «Ну и что такого? Ну, прошла, ну, молодец, а что такого-то?»). Но я — была. Родители раньше часто нас вывозили в ПВД (кто не в курсе: поход выходного дня, обычно с пятницы по воскресенье, проводился для поднятия духа и сплочения нашей милой семейки, иногда приглашались друзья с детьми или коллеги). Мы приезжали на машинах, брали рюкзаки, палатки и все остальное и километров пять еще пилили пешком, даже если можно было проехать на машине до самого места. Но взрослым казалось, что так мы лучше проникнемся. И потом где-нибудь на берегу озера мы ставили палатку, разводили костер, купались, загорали, бродили по лесу. В общем, отдыхали. Мне нравилось. Жалко, что с тех пор, как они вбили себе в голову идею о том, что мы должны без продыху учиться, чтобы поступить в лучший вуз мира, мы перестали ездить в ПВД. А как ездить, если репетиторы даже в выходные? И ладно бы только у меня, у Гришки-то тоже. Гришаня — это мой брат.

Так вот, вернемся к бабусе Гейтвуд. Почему меня так зацепило. Я немножко знаю, что такое лес. Даже в ПВД мы берем с собой палатку, спальники, пенки, котелки, всякие там примочки для костра, даже разделочную доску мама берет! А она, Эмма Гейтвуд, взяла с собой только плащ, аптечку, армейское одеяло, пластиковые занавески для душа, смену одежды и немного еды! И пошла! И шла сто сорок два дня! Это же четыре полных месяца! Четыре! Я уже не говорю про то, что она старуха. Она же реально была на десять лет старше моих бабушек, когда отправилась в этот свой поход. Вот что меня потрясло. А еще то, что она ничего не сказала никому. Вообще. Никакой шумихи из этого не стала делать. Предупредила своих, что погуляет в ближайшем лесочке. И ушла на три тысячи километров. Три тысячи километров! Это ж трое суток на поезде!

Вот это все я и написала в сочинении. Но меня на смех подняли. Вообще я их понимаю. Немного. Потому что там писали про таких людей, которые как-то старались улучшить мир. Ну, про мать Терезу, например. Про Гагарина, само собой. И это тоже ведь сложно: написать про Гагарина так, чтобы было интересно.

Про него Кирилл написал.

Мне нравится читать сочинения Кирилла. И сам Кирилл нравится. Не как парень, а просто как человек. Но я боюсь, что меня неправильно поймут, если я каждый раз буду комментировать его сочинения. Поэтому я всегда читаю не три чужих сочинения, как положено, а три плюс еще одно, Кирилла. Почему я боюсь? Ну, не то чтобы боюсь, я не так выразилась, наверное. Просто... не знаю даже, как это словами сказать. Ну, если бы я была в него влюблена, было бы проще, понятнее. А мне он просто нравится. Хорошо бы с ним дружить по-настоящему. Все равно он мне в парни не годится. Он маленький, понимаете? На полголовы меня ниже. Нам же неудобно будет. Ну, целоваться и вообще. Он будет стесняться. Но пишет он здорово! Я всегда его читаю, только комментирую не всегда.

В общем, надо мной поржали. Я бы в другой раз не обратила внимания совсем, но несколько человек мне написали: «Тебе не кажется, что восхищаться неудачницей — странно?» Я, конечно, кинулась в бой. Эмма Гейтвуд — неудачница? Да она национальный герой! Она первая из женщин прошла тропу Аппалачи! «Ну и что? — отвечали мне. — В чем ее подвиг? Как она сделала мир лучше?», «Конечно, неудачница: муж ее бил, она только и делала всю жизнь, что рожала детей, ничего в жизни не добилась». Вот это как-то чересчур для меня, правда. Я поняла, что не могу их понять. Их логику.

Я все думала о бабусе Гейтвуд. Представляла, как она живет на своей ферме, как муж ее избивает и как она и правда рожает и рожает детей без продыху. У нее их было одиннадцать (по мне так уже одно это — подвиг). И еще я представляла, как в один прекрасный день ее все достало. И она просто берет плащ, одеяло, смену одежды, еду и уходит. Вот просто открывает дверь дома и — уходит. Без подготовки, без сборов. Не в петлю полезла и не расстреляла их всех там, а просто вышла за порог и пошла своей дорогой. Ну, разве не круто?

Я не помню, чем закончился бой в комментариях на сайте. За сочинение я получила «восемь» (у нас десятибалльная система оценок). Мне вдруг неважно стало, чем там все закончится, все эти споры. Я-то знаю, что права. Только не могу объяснить.

И вдруг мне пришла в голову простая мысль. На занятии по математике, у репетитора. Был февраль. Точнее, пятое февраля. В каком-то календаре, то ли в китайском, то ли еще в каком, этот день называется «ветер, дующий с юга». Ну, вроде как дело к весне. У них в Китае, может быть, и к весне, а вот у нас февраль — самый противный месяц, терпеть его не могу. Почти так же, как разговоры родителей о моем будущем. Господи, ну что о нем говорить? Вот придет оно, это будущее, там и посмотрим. Будто нам не о чем поговорить больше!

Так вот, репетитор. Она молодая. Мама с папой специально такую выбрали, зная мою нелюбовь к математике. Ну, думали, наверное, что мне с молодой будет проще. Она старше-то меня лет на десять, не больше. Но какая же она зануда, эта Ирина Павловна! Не улыбнется, не пошутит, прямо робот какой-то! У меня от занятий с ней зубы ломит. Я пыталась родителям объяснить, что мне хватает электива в школе, у нас хорошая математичка, и объясняет нормально, и я ведь тяну на твердую «семерку», хотя чистый гуманитарий! Но нет, им кажется, будто без дополнительных вложений я математику точно завалю. А ведь это еще даже не ЕГЭ! Что же будет через два года? Страшно представить вообще.

И вот я иду к репетитору. Когда я думаю о занятиях с ней, мне представляется такое огромное-огромное заснеженное поле, которому нет ни конца ни края, и снега по колено. И как-то надо его перейти. И я знаю, что смогу, но такая тоска! Так неохота! Я делаю шаг, один, и второй, я тащусь через это поле вечных снегов, продираюсь сквозь ледяную корку иксов и игреков. Я ненавижу их, и этот скучный, вечно раздраженный голос молодой и тощей Ирины Павловны, и запах табака от ее кожи, и всех этих лисят в ее квартире — она коллекционирует изображения лис…

Про себя я иногда зову ее Гнидой Падловной. Это, конечно, совсем нехорошо, но мне так противно, до тошноты, что я готова биться головой о ее стол. Жизнь — боль.

— Ну что же… прогресса пока никакого, — говорит она над моим ухом. — А ведь мы занимаемся с тобой уже полгода! Думаешь, имеет смысл продолжать?

Она ждет, что я завоплю: «Конечно! Имеет! Мне стало все гораздо понятнее!» Но мне не стало. Я хочу бросить. Очень хочу. И вдруг я поняла, что мне надо делать. Причем поняла так отчетливо, будто это уже произошло.

Ну, а что? У меня, между прочим, если подумать… тоже почти одиннадцать детей. Ну, то есть я посчитала: у меня одиннадцать занятий в неделю. Гимназия — раз. Это я еще все предметы за один считаю. Плюс два электива. Плюс три репетитора: по русскому, математике, английскому. Плюс английский по скайпу. Считаете? Вот… А еще я хожу на плавание два раза в неделю, а по воскресеньям с папой на настольный теннис. Десять? Да, и последнее дополнительное занятие — Гришка. Да, это мое любимое допзанятие, сидеть с ним, но ведь все равно… Вы мне не верите? Что я его люблю и мне с ним нравится? Ну, вот почему? Мне правда с ним интересно, он прикольный. Вот и получается, что тоже одиннадцать. Конечно, это не дети. С детьми вообще, наверное, атас. Но я просто хочу сказать: я понимаю, почему бабуся Гейтвуд ушла.

Почему у меня столько занятий? Ну… родители так решили. Это все оттого, что я сама не знаю, кем хочу быть. Мне кажется, если бы я сказала родителям твердо:

— «Хочу быть…»

М-м-м… вот кем? Ну, я даже для примера не могу придумать… ну, неважно! Хочу быть тем-то! И они бы сразу перестали меня туда и сюда толкать и все в меня впихивать! Но я не могу! Не могу понять, чего мне хочется!

А еще я не понимаю: зачем они мучают Гришку? Ну, ладно я, я уже в девятом классе и мне правда пора определяться и все такое. Но Гришка-то только в пятом! Зачем ему сейчас эти репетиторы и кружки повышенной сложности?

В общем, я все решила. И меня сразу отпустило.

И тогда я сказала Ирине Павловне:

— Наверное, вы правы. Больше не стоит вас мучить. Я маме объясню сама, ладно? А то она свалит все на вас, все мои неудачи.

Лицо у Ирины Павловны стало такое растерянное! Я вдруг увидела, что она совсем-совсем молодая, может, еще даже институт не окончила — я как-то не интересовалась никогда... И вот она стоит, смотрит на меня своими глазищами — они у нее на пол-лица, — а я уже собрала вещи и топаю в коридор.

— Ты что, обиделась?

Она побежала за мной.

Я выше ее на две головы, наверное. Ну, на голову точно. Конечно, ее голова гораздо умнее, она понимает все эти сложные штуки, вроде скалярного произведения векторов...

— Подожди! Может, нам сменить тактику? Попробуем искусство маленьких шагов...

Но я уже ничего не хочу пробовать с ней. А слово «шаги» отзывается в моем сердце совсем не математическим звоном.

— Простите, — сказала я, закрывая за собой дверь.

Я шла по проспекту и думала, что, наверное, у нее не так много учеников, и я лишила ее заработка. Но почему-то мне не было стыдно.

Стыдно стало потом. Когда я не посмела рассказать обо всем этом маме. И каждый вторник брала у нее деньги на занятие и ехала к Ирине Павловне. Я выходила на остановку раньше и гуляла по улицам полтора часа. Даже когда было очень холодно и ветрено. Я не заходила ни в магазины, ни в кафе, не тратила деньги. Закалялась и копила. Потому что решимость сделать то, что я придумала, крепла во мне с каждым днем.

У меня день рождения первого апреля. Такая вот шуточка природы. Ну, а как иначе расценить? Если ты в этот день родился, то ты либо дурак, либо очень веселый человек. А я — ни то, ни другое, и с чувством юмора у меня плохо. Но вообще-то весенний день рождения — очень удобно. Потому что, например, в детстве ты всегда вовремя получаешь в подарок велосипед, ролики, самокат и скейт. В этом году я, тщательно все продумав, заказала родителям походный рюкзак. Конечно, у нас были рюкзаки (ПВД!), но, во-первых, довольно тяжелые, да и выросла я из своего. Можно было бы взять мамин, конечно... Но он вообще со стальной рамой, даже пустой тяжелющий, как она его таскала, не пойму? Я кучу сайтов перечитала, кучу каталогов пересмотрела и выбрала то, что мне нужно: на пятьдесят пять литров, облегченный, серо-красный. Показала родителям ссылку, когда они спросили, что мне подарить. Вы бы видели их лица.

— В смысле? — спросил папа.

— Зачем он тебе? — спросила мама.

— Хочу рюкзак, — ответила я.

— Мало у нас барахла в гараже, — вздохнула мама.

И тогда я выдала то, что давно им хотела сказать, но не решалась:

— Это не барахло. Это походное. Надо просто опять поехать в ПВД.

Вот они оба на меня уставились! А потом странно так переглянулись.

— Да? А мне казалось, вы терпеть этого не можете… — сказал папа.

— Все время ныли… — сказала мама.

Ничего они не понимают! Ныть — нормально. Когда тебя выдергивают из цивилизации и заставляют тащиться неизвестно куда под рюкзаком, самое естественное — ныть.

— Ладно, проехали! Но если вы всерьез про подарок спрашиваете, то я вот такой хочу рюкзак. Очень-очень хочу!

— Хорошо, — говорят они почти хором.

И что вы думаете? Подарили? Угу. И даже рюкзак. Только не такой, как я просила, а очень модный городской, на двадцать пять литров. Цвета фуксии. Светились от счастья, когда дарили. Вот, мол, какие мы молодцы. У меня даже не хватило сил сделать вид, что я рада. Не смогла скрыть разочарования, хотя обычно получалось. Мама заметила, конечно, и сразу:

— Ну, Агаша, ну ты же девушка! Да и зачем тебе тот страхолюдный? В школу ходить? Он же огромный! Ты что, на Эверест собралась?

— А вдруг? — пошутила я, не удержалась.

Посмеялись.

Потом я через интернет эту их «фуксию» продала, а себе купила тот рюкзак, который мне был нужен. Чуть-чуть только из своих денег добавила. Они и не заметили ничего.

Моя бабушка Марина не признает материальные подарки. С детства она дарила мне впечатления, как она сама говорит. Поход на скалодром, билеты в театр, мастер-класс по изготовлению пиццы в итальянском ресторане и всякое такое. Я сначала не очень понимала этого, а потом полюбила. Где мы только с ней не были! Лепили горшки у настоящих гончаров, делали свой шоколад на кондитерской фабрике, летали в аэротрубе, ходили в спа-салон и на урок аргентинского танго... Ну, в общем, вы поняли. Она никогда меня не спрашивает, что мне подарить. Сама придумывает. Тоже здорово! Потому что всегда сюрприз! Но теперь я решилась ее попросить. Потому что мне это не потянуть. Я ни разу этого не делала. Совсем. И мне нужна поддержка.

— Ба-а-аб, а можно я закажу подарок? Его только ты сможешь осуществить.

— Хмг... вообще-то у меня уже есть одна гениальная задумка, но давай, желай.

— Своди меня в парикмахерскую.

Вот вам, наверное, смешно. А я правда ни разу в жизни не была в парикмахерской. У меня длинные волосы, которые очень медленно растут. Мне мама их примерно раз в полгода подрезает, убирает секущиеся кончики. Так что у меня коса до пояса. Понятное дело, с косой придется расстаться. Раньше у меня духу не хватало, все-таки это вся моя жизнь.

Но как я буду косу мыть в дороге? Нет уж, стригусь под мальчишку. Родители убьют, но бабушка Марина одобрит, я знаю.

И вот я сижу в парикмахерском кресле. Все противненько напоминает стоматолога. Мне вымыли голову, повязали вокруг шеи какую-то шелковую простыню, расчесали, очень долго вздыхали над «таким сокровищем». Вся парикмахерская собралась смотреть, как меня обкорнают. Еще раз спросили. Не у меня, у Марины:

— Прямо вот совсем коротко?

Марина невозмутимо разглядывала журнал.

— «Режьте под мальчишку», — процитировала она свою любимую тезку.

— За что вы ее так... — начала было парикмахер, но оборвала на полуслове, поймав мой (испуганный, наверное) взгляд в зеркале.

— Режьте, — вздохнула я, будто сделала первый шаг. — Я в твердом уме и трезвой памяти, и я сама так хочу. Правда.

Парикмахер вздохнула и занесла ножницы над моей головой.

Потом мы сидели в кофейне. Марина заказала свой любимый тирамису, а я неожиданно — вишневый штрудель. Первый раз в жизни его ела. Было вкусно.

— Ну, как ты себя чувствуешь? — спросила Марина. — Непокорной? Свободной и легкой?

Я пожала плечами. Я чувствовала себя... никак. Конечно, без утяжелителя было легче. Непривычно. И прохладно. Косу у меня купили прямо в парикмахерской. И за дорого. Я сразу прикинула, на что еще полезное смогу потом потратить эти деньги.

— Слушай, — вдруг сказала Марина. — А ты ведь никуда не влипла? Ни в какую страшную историю? То есть я хочу сказать… это ведь не из-за денег, да?

Мысли она читает, что ли?

— Нет, клянусь, вообще не из-за этого.

Она довольно хмыкнула.

— Подростковый бунт наконец-то?

И вздохнула:

— Твои родители меня убьют.

— Вали все на меня, — посоветовала я.

Вообще-то у меня две бабушки. Они ровесницы, но очень разные. Вторая бабушка, Света, она такая вся прямо… бабушка-бабушка. Пироги и булочки с маком по воскресеньям, сказки на ночь, ушла с работы сразу, как вышла на пенсию, чтобы сидеть с многочисленными внуками (у нее трое детей, а внуков семеро). Этой бабушке я заказала налобный фонарик на светодиодах. Сказала, что иногда хочу почитать лежа в постели, а Гришка уже спит, и очень удобно иметь фонарик. Она поверила, конечно. Она любит читающих детей.

Бабушке Свете мама все и выдала, все свои «мысли и чувства» по поводу моего нового образа. Потому что Света — мамина мама, а Марина — папина. Вообще-то у мамы с Мариной хорошие отношения. Она называет ее идеальной свекровью, они часто по телефону болтают и по магазинам любят ходить вместе. Но моя стрижка — это, видимо, был перебор.

Мама так и сказала бабушке Свете, когда мы приехали к ней в выходные.

— Это вообще за гранью! — повторяла мама. — Как можно было додуматься подстричь Агашу? Да хотя бы посоветовала ей нормальную стрижку, а то что это вообще?

Папа виновато отмалчивался. Он любил свою маму, но тоже считал, что она была не вправе делать мне такой своеобразный подарок.

И опять никто не додумался спросить, а что я по этому поводу думаю.

— А мне нравится! — крикнула я тогда.

И побыстрее откусила здоровенный кусок пирожка с грибами.

— Ну конечно! Еще бы! — разбушевалась мама.

— Тише, тише, Аленочка, не переживай так. Волосы — не голова, отрастут.

В этом вся моя бабушка Света. За это и люблю.

Я все точно рассчитала. Денег у меня не так уж и много. Значит, буду их тратить только на самое необходимое, чтобы больше осталось на саму дорогу. Все, что можно, надо взять в гараже. У нас же есть и спальники, и котелок, и вообще все, что раньше мы брали в ПВД. Гараж стоит во дворе нашего старого дома. Потом мы сюда переехали, а здесь подземная парковка. Но гараж продавать не стали: мама сказала, что у нас полно барахла, будем туда складывать. Так что я взяла потихоньку ключ от гаража и поехала на трамвае в старый двор. Пришлось прогулять две физры, потому что мне надо было успеть как-то протащить все походное в свою комнату до прихода Гришки. Родители-то допоздна работают, а Гришка приходит на час раньше, чем я, и, конечно, станет спрашивать...

Наш старый двор в самом центре города, и я очень его люблю. Потому что он такой... ну, реально старый. Три трехэтажных дома, голубятня, скамейки на чугунных ногах. Будто переносишься на машине времени в детство родителей. Они выросли в этом дворе, дружили с яслей. И нам про свое детство часто рассказывают. Про игру «Двенадцать палочек» и про то, как бегали по крышам гаражей. Придет же такое в голову кому-то! Но они так рассказывают, прямо взахлеб, что тоже хочется побегать. Угу, тут же представляю, как я, лошадушка такая, взбираюсь на гараж... да любая крыша тут же рухнет подо мной! Почему я не в маму? Она маленькая и хрупкая. Но я похожа на нее только лицом. А рост и фигура — папины. Несправедливо!

Я подошла к нашему гаражу. Он железный, старый, слегка покосившийся даже. Неудивительно, если по нему всю жизнь прыгали здешние дети. Замок заржавел, я еле-еле смогла открыть. Дверь неласково проскрипела и не захотела открываться полностью. Ладно, протиснусь и в эту щель, подумаешь. Так, где-то тут был свет... Ага, вот он. Я чихнула. И еще раз. И еще. Я обычно чихаю не меньше пяти раз подряд, а вы? Пыльно тут, заброшенно...

Я огляделась. И улыбнулась. Потому что так здорово было вдруг увидеть все это снова: Гришкин детский стульчик и горшок, наш спортивный уголок, мешок с моими мягкими игрушками и Гришкиными машинками, коробку с книгами... Зачем они все это сюда сложили? Лучше бы в детский дом отдали или больницу! Я выдернула из пакета лошадку. Моя любимая была в детстве, мне ее бабушка связала. Марусей зовут. Прижала к себе. Она пахла пылью. Я похлопала ее по спинке и опять расчихалась. Посадила Марусю на старый диванчик. Потом достала всех остальных: троих медвежат (Джона, Миху и Тедди), безымянного слоненка, двоих кроликов (Сашу и Машу), трех кукол (Элизу, Джейн и Мэри), щенка Рекса и крошку Ру. Как-то неправильно, что они все тут. Пылятся, никому не нужные. Я поклялась, что когда вернусь, обязательно приду за ними и… не знаю… домой не заберешь, я же вроде уже взрослая совсем-совсем. Родители точно не поймут. О, можно отвезти их бабушке Свете! У нее все-таки из семерых внуков трое — самого подходящего для игрушек возраста! Точно! Так и сделаю! А в пакет убирать не буду сейчас. Не хочу.

Потом я разгребла все, что у нас было для ПВД. Палатка, четыре рюкзака, четыре спальника, четыре пенки, два котелка, зачем-то шесть сидушек, горелка… Я выбрала самый теплый спальник — мамин. Взяла маленький котелок, сидушку и пенку. Рюкзак у меня уже есть. Надолго зависла над горелкой — брать, не брать? Решила не брать. Не очень я с ней умею. Да и не знаю, какие баллоны покупать и где. Буду костер разводить. Или как-нибудь так.

Уже закрывая гараж, я посмотрела на свои игрушки, сидящие рядком на диванчике. И не выдержала, вернулась, сунула лошадь Марусю в рюкзак. Не так уж много она и весит, возьму с собой. Например, вместо подушки.

Осталось проложить маршрут. Самое сложное вообще-то. По большим дорогам ведь не пойдешь. Не знаю почему. Не пойдешь, и все тут. Фуры, пыль... В общем, я сразу федеральные трассы отмела. Решила идти по небольшим дорогам, связывающим разные города. Мне это очень понравилось! Ну, что я буду связывать города. Долой разобщение и границы!

И я обложилась картами. Скачала и распечатала самые подробные, изучала грунтовки между городами. Идти решила, конечно, к морю. Не потому, что я его никогда не видела или жить без него не могу. Могу. И видела. Тыщу раз. Но так романтичнее как-то, что ли. Должна же быть какая-то цель, желательно красивая.

Меня только все время смущала мысль, что бабуся Гейтвуд за время пути растоптала свои ноги на два размера. Ну, понимаете, ее ноги стали на два размера больше. Я не знаю почему так, но вот так. И эта мысль прямо не давала мне спать. Потому что у меня сейчас уже тридцать девятый. А когда я вернусь, что же будет? Сорок первый? Нормально для девушки? У папы моего, например, сорок третий. И где я буду брать новую обувь там, в пути? Но я решила не думать об этом пока, а пошла и купила шагомер. Буду считать шаги.

А про дорогу тоже рассказывать? Да? Думаете, это самое интересное? Ну, не знаю, идешь и идешь. Идешь и думаешь. Я очень много про родителей думала. И поняла, что все дело в том, что они очень уж друг друга любят. И для нас с Грихой вроде как места нет. Не, я понимаю, что они и нас любят и все такое, они очень заботливые, вообще не придраться, все для нас… но вот… как бы это объяснить? Ну, они будто все время хотят вдвоем остаться, наедине. А тут мы! И каждый со своими тараканами! И мы как бы не даем им наслаждаться обществом друг друга… Ну, не только мы, работа тоже, и всякие там обязанности, типа воскресенья у бабушки с дедом. И поэтому они немного такие… рычащие. Ну, не разговаривают, а рычат, понимаете, да? Не всегда, конечно. Но чаще, чем шутят или нормально общаются.

Иногда я слушаю, как мама болтает со своей подругой, Аней. И мне завидно. Потому что со мной она не разговаривает так никогда. Нет, вру. Иногда она будто спохватывается и приходит ко мне в комнату, садится на мою кровать и что-нибудь говорит. Думаете, я фыркаю или отвечаю односложно, чтобы она отвязалась? Нет, не угадали. Я очень люблю, когда она вот так спохватывается и приходит. Я очень по ней скучаю. Ну, не по маме-которая-должна-воспитать-приличную-дочь, а по маме, которая… не знаю, которая просто мама. Мы вот в детстве, то есть до школы, много с ней гуляли и играли. Я не ходила в садик, и няни у меня тоже не было, мама со мной сидела. У нее сохранилась целая тетрадка всяких моих фразочек и ее рассказов про наши с ней занятия. Она все-все записывала! Когда у меня два года назад была пневмония, она мне эту тетрадку читала перед сном. Так прикольно. Там столько… любви. Ко мне! Наверное, я тогда еще не грызла ногти.

А у Гришки такой тетрадки нет. Когда я спросила почему, мама как-то поскучнела, сказала, что работать вышла и ничего не успевала записывать. Наверное, ему обидно.

Про это я тоже думала, когда шла. Если у меня будут дети, то я всем такие тетрадки заведу, даже если буду пахать как вол. Даже если у меня будет одиннадцать детей! Потому что каждый ведь — отдельный человек и каждому интересно знать, какой он был в детстве. Когда пошел, какое первое слово сказал, и все, что смешного сделал, и как его любили, как вот прямо крышу сносило у мамы от любви и нежности. Потом ведь такого уже не будет. Потом ты начнешь грызть ногти и вымахаешь в стосемидесятипятисантиметровую дылду.

Давайте только я города не буду называть своими именами? А то еще скажете потом, что я кого-то на подвиг вдохновила и карту подробную дала. Так что просто по букве алфавита: альфа, бета, гамма и так далее. А греческий алфавит беру, чтобы вы не забывали, что я все-таки в супер-гимназии учусь, не просто так. Точнее училась. Немного все-таки грустно, что вот так вышло с гимназией. Что пришлось ее бросить накануне экзаменов. Назад, конечно, меня не примут. И вообще не знаю, как теперь выпутываться. На второй год, наверное, придется оставаться. И вот от этого грустно. Ну, все же директор хорошо ко мне относился, увидел какую-то там искру. Я не знаю, куда она делась. Погасла, может, от усталости. Я просто не хочу, чтобы вы думали, будто я это сделала с целью что-то кому-то доказать. Не было такого, правда. Я просто устала как-то вот совсем…

Что было самое страшное… самое-самое страшное? Первая ночевка, наверное. И вторая, пожалуй, тоже.

Первый день я вообще легко прошла. По родному-то городу! Топаешь себе, по сторонам смотришь. На ходу бутерброды жуешь, которые дома сделала.

Телефон зазвонил в восемь вечера. Примерно в это время мама с работы приходит. Вот я балда, что сразу его не выключила! Звонок — и я почти нажала «ответить». Хорошо, что палец промахнулся, скользнул по экрану. Я побыстрее телефон выключила. Во-первых, заряжать его негде, и лучше пусть спит, а в какой-нибудь совсем критический момент я его включу. Мало ли… Ну, а во-вторых… Я же понимала, что если отвечу сейчас, то меня вернут. Да я сама вернусь. Потому что вечерело уже. И становилось страшно. Дорога, машины и поля вдоль дороги. На меня прямо ужас накатил. Что мне ночью делать? Завернуться в спальник и лечь в канаву? Так начало мая, холодно еще! И вдруг меня убьют? Не знаю зачем, просто так. В общем, я шла и дрожала. Мерзла. Даже плакала. Сначала тихонько, а потом уже в голос. И еще я устала. Ноги болели. Сильно. Я себя даже ненавидеть начала. Потому что… ну, вот что мне стоит сейчас развернуться, позвонить папе и сказать: забери меня домой? Но нет! Я не могла! Рыдала и шла, как дура, вперед! Папа прав — у меня ужасный характер.

Уже совсем стемнело, когда я вышла к дачному поселку какому-то. Я прямо взвыла от счастья! Ведь весна! Никого там еще нет, наверное! И можно у кого-нибудь на веранде залезть в спальник и поспать!

Мне ужасно повезло. Я нашла маленький хорошенький домик, голубого цвета, с двумя окошками. На участке росло много деревьев, а дверь в домик

закрывалась просто на крючок. Я зашла. Там было чисто и даже уютно. Только пахло мышами. Я смогла развести маленький костер в их мангале, согрела воду и заварила себе лапшу растворимую. Воду я в ручье набрала, еще на входе в поселок. В общем, устроилась с шиком. И всю ночь не спала. Просто не могла уснуть. Страшно и тоскливо как-то. Думала о своих. Мне казалось, что я очень толковое письмо написала, так, чтобы они не переживали. Но Гришка, наверное, все равно будет. Да и мама с папой тоже. Я это понимаю. Но телефон так и не включила. Просто я бы не выдержала, если бы со мной кто-то стал разговаривать сейчас. Я обняла свою лошадь Марусю. Выстиранная, она пахла уже не пылью, а нашим, домашним, мылом. И так мне стало плохо в этот момент, что я заплакала опять. Не то чтобы разревелась в голос, а тихонько поплакала да и все. Может, вообще от усталости. Короче, я только к утру уснула и проспала до обеда. Хорошо, что май и будний день, на дачах этих я так никого и не встретила. Я убрала за собой, но уходила все равно, как воришка, оглядываясь и вздрагивая от каждого шороха.

А вторую ночь пришлось провести в лесу. И это было в сто раз страшнее. Тут я правда чуть не позвонила домой. Прямо вот усилием воли запихнула телефон поглубже в рюкзак. Всю ночь опять не спала. Мне мерещилось, что кто-то стоит возле меня, и я не сразу понимала, что это деревья, а не люди. Тогда я мысленно построила вокруг себя тот голубенький домик с двумя окошками, где ночевала накануне. Вспомнила его изнутри вплоть до мышиного запаха и рисунка обоев. И смогла уснуть. Я потом часто так делала.

Ну а дальше уже легче было. Входишь в ритм, с обеда начинаешь приглядывать место для ночевки. Иногда даже останавливаешься еще днем, потому что хорошее место, а что впереди — непонятно.

Людей я встречала очень редко. Особенно в начале. Летом-то, конечно, в лесу и рыбаки, и туристы, и просто так... кто за грибами, кто за ягодами. А в мае особо никого. Один раз я ночевала со спасателями. Они искали пропавшего ребенка. Несколько групп прочесывали лес, а эти — отдыхали. Ну, по крайней мере я так поняла. Я, знаете, устала на их вопросы отвечать, сама уже особо не спрашивала. Они меня долго пытали, кто я да что я, почему в лесу одна и что тут делаю, и в курсе ли родители... Пришлось врать. Что живу недалеко, в деревне Потанино (проходила утром мимо, угу), что дедушка у меня лесник, иду к нему на заимку, да вы не переживайте, я привычная, мне нравится одной ходить, а мама, конечно, в курсе, а как же, сама меня к нему отправила.

— Что-то не помню тут никаких заимок... Можешь на карте показать? — спросил один, Лёша, самый умный, похоже. Ну, самый красивый-то точно.

— Неа, я вообще в картах не разбираюсь, я только ногами могу.

— Ну, проводи ногами. Вдруг наш парень там.

Это они так пропавшего мальчика называли «наш парень», хотя было парню всего восемь лет. Я поежилась. Какая-то дурацкая история. И с заимкой, и вообще. Я смотрела в жаркий костер, гладила припекшиеся коленки и думала... Наверное, меня тоже сейчас ищет какой-нибудь отряд. Не спит ночами, без устали прочесывает лес. У каждого — мое фото и описание одежды, в которой я ушла из дома. И мама не выпускает телефон из рук, ждет и боится звонка. Как я поняла из разговоров у этого костра, находят детей часто, только не всегда живыми.

Но я ведь не ребенок! И я не пропала! Не потерялась! Я сама так решила, потому что... Не знаю почему.

Когда все спасатели уснули, завернувшись в спальники у костра, я потихоньку ушла из их лагеря.

Что было самое плохое... Вот, кстати, я больше всего боялась этого, ну плохого, плохих людей, что меня ограбят или еще что похуже, ну вы понимаете. Я еще и поэтому старалась больше по лесным дорогам идти, там меньше вероятность встретить разных придурков. В общем, пронесло, жива и здорова. А самое плохое... это, наверное, щенки.

У вас была собака? У меня была. Мне ее на день рождения подарили, бабушка Марина, когда мне восемь лет исполнилось. Помесь пуделя со спаниелем. Смешная, кудрявая, и все время от меня убегала. Она меня любила, спала в ногах, ела с рук, но просто она такая оказалась... свободолюбивая. Ненавидела поводок, ошейник научилась сдергивать с шеи передними лапами. Не успеешь надеть, она уже сняла. Звали ее Герда. (Да, «Снежная королева» — моя любимая сказка.) И каждые полгода она рожала щенков. Невозможно было за ней уследить! Я несколько раз у нее роды принимала, когда она сама не могла справиться. Иногда по шесть щенков рождалось. Герда очень умная была и красивая, мы ее щенков всегда, в общем, пристраивали. То знакомым, то через объявление в инете, а два раза тупо ходили с Гришкой по улицам и всем прохожим предлагали. Бр-р-р! Никогда не забуду, как это… ну, унизительно, что ли… но что было делать?

Каждый раз, когда мы замечали, что Герда снова беременная, случался скандал. Мама с папой орали в основном на меня, что я не уследила. Ну и друг на друга тоже. Что опять забыли отвести к ветеринару на стерилизацию, что надо было сразу, пока маленькая, что куда их теперь пристраивать, и так у половины города наши щенки! Папа кричал больше всех. Кричал, что он больше не собирается этого делать, он не в состоянии. «Это» — значит топить. Один раз ему пришлось. Потому что перед этим мы долго очень пристраивали один помет, они у нас до трех месяцев жили. Четверо щенков. И мы все очень устали. И мама тогда обещала, что в следующий раз утопит всех. Но топить пришлось папе. Он потом напился. И сказал, что на такое больше не способен. А к ветеринару Герду так и не отвел. А я не смогла утопить. Герда один раз родила, папа был в командировке, и мама сказала, «чтобы духу их здесь не было, вот тебе ведро и вода». Я их кинула в ведро с водой, всех троих. И закрыла дверь в ванную. И мы с мамой сидели в комнате и слушали, как они пищат. И как Герда плачет и скребется в дверь (мы ее закрыли в детской). У мамы было такое лицо… белое и каменное. И наконец она призналась:

— Я не могу.

И я бросилась в ванную, заглянула в ведро. Они там карабкались по стенкам изо всех сил. Я быстрее похватала их, в полотенце закутала, под бок Герде сунула… Мы обе рыдали, и мама, и я. И когда папа приехал, мама ему, наверное, рассказала, потому что он прямо сразу, как только этих, спасенных, раздали, повел Герду к ветеринару. Там нас долго ругали, что мы раньше не обратились, но операция хорошо прошла, и оклемалась Герда быстро. И больше не рожала. Я даже скучала немножко. Ну, мне нравятся щенки, они печеньками пахнут и так смешно копошатся, когда совсем маленькие, беспомощные.

А год назад она погибла. Машина задавила. Она вообще-то всегда машин боялась, дорогу переходила только с людьми и по переходу, а тут… будто бросилась под колеса. У нас тогда бабушка Света сильно болела, и нам все говорили, что она так беду от нее отвела. Может быть. Я не знаю, верить в это или нет. Жалко, что у нас ни одного Гердиного щенка не осталось. Я все хотела поискать кого-нибудь, кому мы ее щенков отдавали, может, у Герды есть внуки. Но так и не собралась…

Так вот, о чем я? А, самое плохое. Щенки. Ну да. Это случилось еще в самом начале, где-то под Дельтой. Я уже втянулась в дорогу, но еще не устала, как под конец. Шла вдоль оврага. В овраге полно было мусора, такая спонтанная свалка — их много рядом с населенными пунктами. Иду я и вдруг замечаю краем глаза какое-то шевеление. Среди мусора пакет, скотчем плотно так перемотанный, и весь копошится. Меня даже чуть не вырвало, так это мерзко и жутко выглядело. Но я все равно спустилась в овраг, ножом пакет вскрыла, а там — пятеро новорожденных щенков, слепых еще, лапы голые, ушки прижаты… Наверное, вчера родились. Двое мертвых и трое живых. Эти трое стали так карабкаться из пакета, как те мои тогда, из ведра. Это был такой ужас. Вот прямо УЖАС. Кто-то сложил их в пакет, обмотал скотчем, и они медленно там задыхались. Как в газовой камере. Уж лучше бы их утопили!

Я взяла живых, вылезла из оврага… И что мне делать теперь? Они рыдают прямо, они же голодные! Я хлеб разжевала, впихнула каждому по комочку в пасть. Они вроде начали сосать, у одного вывалился комочек, я снова запихиваю, а он только плачет… Понятно, что им мамино молоко нужно, ну или хоть какое-нибудь, да где я возьму-то?

Я пошла обратно к Дельте. Щенки всю дорогу плакали. Я двоих по карманам разложила, а самого маленького несла в руках. Часа через два дошла до автозаправки. Решила: оставлю тут, народу много проезжает, может, кто-нибудь пожалеет, возьмет. Ну, или на заправке будут жить, я часто видела собак на заправках. Но тайком оставить не получилось: заправщица вышла, сразу пристала ко мне. А я так устала, что разревелась, как маленькая. Это от напряжения, наверное, да? Рассказала ей, как их нашла. Она так рассердилась:

— Вот ироды! Не могут по-человечески: сразу в воду!

Ничего себе, очень по-человечески! А потом она меня спрашивает:

— Сама откуда?

— Автостопом еду, — вру я. — К морю, в отпуск.

— Тебе сколько лет-то, автостопщица?

— Восемнадцать. — Хорошо все-таки, что я такая дылда. — В институт не поступила в том году, в садик пошла работать, нянечкой. А сейчас у меня отпуск, я на море сильно хотела, а зарплаты в садике сами знаете какие. Вот автостопом решила.

В общем, наплела с три короба. Тетка эта, тетя Наташа, только с виду суровая оказалась, а так хорошая. Чаем меня напоила, картошкой жареной накормила, а щенков — кефиром. Она взяла резиновую перчатку, сделала в пальцах дырочки, налила туда кефир и сунула каждому в рот. У них не сразу получилось, особенно маленький справиться никак не мог. Но тетя Наташа настойчиво так им эти пальцы перчаточные впихивала, что в итоге всех накормила.

— Ничего, — сказала она довольно. — Выкормлю и пристрою, не переживай.

И я ушла. И так паршиво мне было, вы не представляете. Как никогда в жизни. Ну, потому что я понимала, что по правильному надо было позвонить папе и попросить: забери меня домой. И щенков тоже забрать. И самой выхаживать. Потому что я умею. И потому что так было бы честно. Тетя Наташа, конечно, хорошая, но кто знает, вдруг она только дождалась, когда я за поворотом скроюсь, и тут же их опять в мешок и на свалку? Или в реку... И надо было наплевать на себя и свою дорогу, надо было спасать этих крошек розоволапых... Но нет, я же упрямая, мои планы всегда важнее всего!

Я долго не могла успокоиться. И постоянно вспоминала этих щенков. Они мне даже снились. И тот мальчик, которого в лесу искали. Хорошо бы нашли.

Многих ведь не успевают спасти. И вот я тоже думаю, что мне надо было пойти со спасателями тогда искать этого мальчика. Может, нашли бы быстрее.

Кстати, о мальчике. Точнее, о спасателях. Об одном из них. О самом красивом. Красивого и умного спасателя Лёшу я встретила в городе Омикрон. Вообще, в города я заходила только чтобы еды купить. Ну и помыться. И потом я все-таки девушка, и раз в месяц мне по-любому надо в цивилизацию. Ну, вы понимаете. Я впервые позавидовала парням и Эмме Гейтвуд. Все-таки она была уже старушка, и ей не надо было думать о том, чтобы раз в месяц оказаться в городе. Мылась я на вокзалах. Я высокая, меня принимали за студентку-первокурсницу запросто, и никто не приставал с расспросами.

Мне не нравилось заходить в города. Пока пройдешь все эти окраины, пока вокзал найдешь… Но мыться-то надо. Озера и реки, которые мне на пути встречались, прогрелись только к июлю, так что первые два месяца за душ приходилось платить. И к июлю пришлось-таки купить новые кроссовки. Того же размера. Просто у тех, в которых я ушла из дома, истопталась до дыр подошва, а запасные порвались. Ну а вообще… после лесов, полей, пустых дорог иногда тянет в цивилизацию. Я мылась на вокзале в платном душе, потом шла в какое-нибудь кафе, заказывала что-нибудь совсем простое. Омлет, например. Ужасно скучала по омлету всю дорогу!

Так вот, спасатель Лёша. Мы случайно столкнулись на вокзале. Я как раз шла из душа, на ходу рылась в рюкзаке и налетела на него.

— Ого! Внучка лесника! — И он протянул мне руку.

Я ее пожала, а он не отпускает, спрашивает:

— Как поживаешь?

Я думала, уже все, конец моей дороге, сейчас он меня ни за что не выпустит.

— Ты чего же так исчезла внезапно? К дедушке торопилась?

Такой взгляд у него... я никак не могла понять, он язвит или серьезно?

— Нашли мальчика? — спросила я.

— Да! Живого. Недалеко, кстати, от заимки.

Я выдохнула. Ура. Лёша все еще держал мою руку и смотрел на меня пристально.

— А ты здесь как оказалась?

— А... я учусь здесь. В педагогическом колледже. Только поступила. Вот.

— Ага. Ясно. А волосы чего мокрые? Слушай, прости, я забыл, как тебя зовут...

— Агата.

— Агата... Агафья Соловьева? Пятнадцать лет?

И взгляд сразу перестал быть нечитаемым. Сразу стало все ясно по этому взгляду и по тому, как окрепла его хватка. У него в нагрудном кармане, наверное, и фотография моя лежит. Я дернула руку изо всех сил, крикнула:

— Прости! Со мной все в порядке! Скажи им! Я скоро вернусь!

И рванула с вокзала.

Иногда очень хорошо иметь высокий рост и крепкие руки. Была бы я маминого телосложения, фиг бы вывернулась.

Бабуся Гейтвуд говорила, что в дорогу надо взять только плащ-дождевик, мешок, кеды и венских колбасок. Ну, может, у них там, на тропе Аппалачи, этого и хватает, но у нас тут точно не так, я не дура. Поэтому взяла с собой карточку. Банковскую. Родители мне подарили, когда я паспорт получила. Там копились денежки на мое платное обучение, если я, бестолочь, не смогу даже после всех гимназий и репетиторов поступить на бюджет. Деньги уходят очень быстро, это я поняла. И, как могла, экономила. Иногда удавалось поесть бесплатно. Например, девятого мая.

Я очень Девятое мая люблю, а вы? У меня оба прадеда воевали, и прабабушка тоже, а другая прабабушка и ее сестра — труженики тыла. Нам на «Бессмертный полк» рук не хватает с Гришкой. Родители очень трепетно к этому относятся, особенно мама. За неделю до Девятого мая она начинает с нами смотреть фильмы о войне и книжки читать. На парад мы, конечно, тоже ходим. Только мама впадает в бешенство, если видит малышей, одетых в военную форму, а еще если слышит, как говорят: «Отмечаем Девятое мая». Тут она просто свирепеет!

В День Победы я как раз шла сквозь небольшой городок. Там было так празднично, на всех улицах флаги, все люди с цветами… Я остановилась на обочине, смотрела, как идет мимо Бессмертный полк. И думала, как там мои. Кто несет вместо меня портрет прабабушки Лиды? И почему я не могла подождать до Девятого мая, а потом пойти? Просто не подумала. Забыла.

В городке во время концерта работала полевая кухня, всех кормили гречневой кашей с тушенкой и поили сладким чаем. Я съела две порции. Никто мне и слова не сказал, может, не запомнили, что я уже брала. Тогда я взяла еще и третью, ссыпала ее в пакет, чтобы вечером поесть или утром. Было как-то стыдно, но никто на меня не косился, и опять никто ничего не сказал.

В общем, я прикинула, что денег на карточке должно хватить, если я буду покупать только самое необходимое. Просто поразительно, насколько мало на самом деле нужно человеку! Вот раньше, дома, простите уж за подробности, я психовала даже, если папа покупал дешевую туалетную бумагу. Ну, знаете, такая серенькая есть, жесткая, как наждачка. А еще мне казалось, что человек не в состоянии прожить без душа больше двух дней. И стирать одежду за него должна стиральная машинка. Причем так стирать, чтобы одежду можно было каждый день менять. Питаться тоже надо разнообразненько: вчера ели борщ, а сегодня, что, опять? Да ну! И чай, чай с вкусняшками — обязательно! И вы даже не представляете длину моего списка «я это не ем».

Но вот в дороге я поняла, что ем все. Конечно, что-то люблю больше, что-то меньше, но съесть могу что угодно. И умею стирать в ледяной воде. А лопухи легко заменяют туалетную бумагу. И еще я могу спать на поверхности любой твердости и без всяких подушек. Потому что лошадь Марусю лучше обнимать во сне, чем класть под голову. Ну и так далее, понимаете? Я вдруг поняла, что жизнь — ужасно проста. Только передвигай ноги. И все. Не верите? Ну, попробуйте!

Один раз я, правда, не выдержала. В городе Ро. Я помылась, переоделась в чистую футболку (мятую, конечно, но это тоже к вопросу о том, на что я легко могу забить, оказывается) и пошла в кафе. Заказала омлет и включила телефон. Четыреста тридцать семь сообщений и двести шестьдесят семь звонков. Я вышла в интернет. Зашла на сайт школы. А на свои странички в соцсетях — не решилась: там же видно, когда ты онлайн. И на сайте школы я увидела отдельную закладку про меня. Она так и называлась: «Агата Соловьева». Ну, конечно, я туда зашла. Там рассказывалось, что я пропала и меня все ищут. Было выложено море моих школьных фотографий, ссылки на мои сочинения... Я вот, кстати, всерьез думаю, не нарушение ли это моих прав? А внизу было обращение директора. Что-то вроде: «Ребята, если вы что-нибудь знаете об Агате, хоть что-нибудь, сообщите, пожалуйста, мне, вашему классному руководителю или Агатиным родителям». И телефоны мамы и папы. Вот тогда меня первый раз всерьез накрыло. Чувством вины и какой-то... не знаю... непоправимости, что ли. Прямо стучало в голове: «Что я наделала?!» Я тут же отправила маме СМС: «Со мной все в порядке. Простите, что ушла. Я скоро вернусь». И отключила телефон. Потому что стало страшно. Она же позвонит. И что я скажу? Я не хотела, чтобы они переживали. Но я хотела пройти свои шесть миллионов шагов, три тысячи километров. Я ведь уже прошла половину пути! Даже больше!

Это было самое трудное. Выключить телефон. Серьезно. Это, понимаете... будто отрезать себя от мира.

И в то же время будто остаться с миром один на один. И даже не с миром, а с жизнью, что ли... Это высокопарно звучит, я понимаю. Но все-таки мы привыкли, да? Ну, что есть телефон. Что в любую минуту можно позвонить, зайти в Сеть, эсэмэснуть. Я вот все думала, а как наши родители росли? Точнее, как их родители растили их без телефонов? Мама звонит нам с работы каждый день, спрашивает, как мы добрались из школы домой, поели или нет, как уроки… Когда вечером гуляешь, тоже: стоит только на десять минут задержаться, сразу у всех телефоны разрываются. А как раньше? Как бабушка Света и бабушка Марина воспитывали наших родителей? Ждали их с ночных свиданий, отпускали в походы и на пикники, на дискотеки… И даже не знали, где они и что с ними! Вот ужас-то, да? Я понимаю это, потому что если родители уезжают вдвоем на выходные и я остаюсь за старшую, а Гришка уходит гулять во двор и не приходит вовремя, я с ума схожу и сразу ему звоню. А вот не было бы телефона? Да я бы не выпустила его одного ни за что!

В общем, я свой телефон выключила в первый же день, ну, я вам говорила. Да и какой в нем смысл? Зарядки бы все равно хватило максимум на два дня. Я думала, что включу его, только когда пройду свои три тысячи километров. Но вот не утерпела, включила раньше. И потом уже не могла не думать про маму с папой… Не то чтобы я раньше о них не думала, но теперь прямо вот — всегда. Я ведь не дура. Ну правда. Я прекрасно понимала, что они с ума там сходят. Ищут меня. Несмотря на письмо. Да и не факт, что они все поняли из моего письма. И я решила, что теперь стану заряжать в кафе телефон и отправлять им эсэмэски из каждого города, куда буду заходить. Если получится. Получалось, если честно, не всегда. А еще я думала все время про тех спасателей. Что вот это такая работа… ну, может быть, самая нужная на свете. Нет, ну понятно, что и врачи нужны, и учителя, и психологи тоже. Да вообще все! Но вот эти спасатели, которые ищут пропавших детей… Получается, они каждый раз спасают чей-то мир. Ну да, не всегда. Иногда они не успевают, находят слишком поздно. Но все равно. Кого-то же спасают. И пока они ищут, у родителей и братьев-сестер есть надежда.

Кстати, про спасателей. Вы будете смеяться, но с этим спасателем Лёшей мы опять встретились. Не только с ним. Там еще были Паша и Аня, но я как-то зациклилась слегка на Лёше, все-таки нас с ним целое рукопожатие на вокзале связывало. Встретились мы уже на подходе к морю. По моей карте выходило, что еще примерно пару дней пути — и я на месте. То есть на море. Шагомер показывал, что я сделала в общей сложности пять миллионов девятьсот пять тысяч шагов. Крутая цифра!

Так вот, спасатель Лёша. Вам не надоело про все это слушать? Нет? В общем, городок, назовем его город Пси. Я бы его с радостью обошла, но тогда нужно было бы тащиться по трассе, а там пыльно и жарко, и не скажешь, что уже сентябрь! А город прямо миленький. В зелени весь, среди гор. И люди нормальные, никто на меня внимания вообще не обращал. Я купила себе здоровый такой хот-дог, села на бордюр прямо около киоска и наслаждалась. И тут:

— Слушай, ну вот чего ты добиваешься? Этим своим побегом?

Я, конечно, поперхнулась. Закашлялась. Меня участливо похлопали по спине. Лёша уселся по левую руку, рыжий бородач Паша — по правую. Аня (я тогда еще не знала, как ее зовут, но она явно была с ними) встала передо мной. Ну, круто.

Я прожевала и сказала:

— Это не побег.

— А как это называется?

Я рассказала им про бабусю Гейтвуд. Аня, видимо, быстро забила про нее в гугле, показала телефон Лёше, потом Паше. Оба хмыкнули.

— Ты серьезно? Пешком? Из Альфы?

— Угу.

Я вертела в руках хот-дог. Очень хотелось есть, но при них я как-то стеснялась откусывать. От меня еще и воняет наверняка. В душе я не была уже неделю. Тянула до моря.

— Твои родители сходят с ума, — сказал Паша.

— Я знаю.

— Ты им назло?

— Да нет!

Ну вот как объяснить? Я не назло! Никому не назло вообще! Мне просто надо было это сделать! Пройти свою тропу Аппалачи! Как они не понимают?

— Слушай… и вот ты всерьез пешком прошла столько? — вдруг спросил Лёша. — Ни разу ни на машине, ни на поезде?

Я помотала головой.

— Круть! Пошли к нам в команду!

Тут поперхнулись Паша с Аней. А я подумала: и правда хорошо бы к ним. Это крутая работа. Ну, в том смысле, что есть смысл. Возвращать кого-то к жизни. Дарить надежду. Искать и находить.

— Серьезно. Только надо в школе доучиться, — добавил Лёша.

— А потом?

— Что потом?

— Ну, где на вас учат?

Лёша засмеялся, достал мою фотографию из кармана (не самую ужасную, но очень скучную), написал на обороте телефон.

— Давай так: вернешься домой и позвонишь мне. Я тебе все расскажу, идет?

— Угу.

И тут Паша взял меня за локоть.

— Мы тебе поможем вернуться, ты не переживай.

У меня на шагомере пять миллионов девятьсот пять тысяч шагов. Я шла почти пять месяцев. Море, город Омега в двух днях пути...

Я вскочила стремительно, отпрыгнула подальше. Их трое, конечно, о чем разговор. И они старше меня, и вообще профи. Но у меня осталось всего два дня пути!

— Стой! — крикнула Аня.

— Ты что, совсем?! — заорал на Пашу Лёша.

Но я не стала слушать — я бросилась бежать, стиснув свой хот-дог. А рюкзак? Рюкзак остался лежать там, где лежал. А в нем — все.

Я шла по улицам, жевала этот резиновый хот-дог и ревела. Как мне ночевать теперь? И как идти дальше?

До вечера я слонялась по Пси, не решаясь выйти на дорогу без рюкзака. Я будто осталась без одежды, совсем голой. Черт бы их побрал всех! Спасатели!

И вдруг я увидела его! Увидела свой рюкзак! Он стоял на скамейке в парке и будто ждал меня! Оглядываясь, я подошла. Боялась, что это ловушка, что они сидят в засаде. Из-под клапана выглядывал краешек моей фотографии. Я села рядом с рюкзаком, готовая рвануть с места в любой момент. Погладила его тугой бок. Как же я тебя люблю, мой дорогой друг!

Вытащила свою фотографию. Номер телефона и подпись: «Алексей Шершнев. Ты стала бы отличным спасателем, Агата. Прости, что напугали тебя. Очень ждем звонка». Я вздохнула, слезы-то уже кончились. Я ужасно устала. Легла и уснула прямо на скамейке, будто бомж какой-то. Ну и ладно. Все равно меня тут никто не знает. А рано утром я уже свалю из этого города, который чуть не стал последним в моем путешествии. Смешно, конечно, до колик, что только тогда, после слов рыжего Паши, мне пришла в голову простая мысль: а обратно как? Тоже пешком? Я же сдохну! А на билеты денег нет. Ладно, решила я, доеду автостопом, чего мне теперь-то бояться? Или на электричках. Только вот осень уже… И поеду я с теплого юга на не очень теплый северо-восток… Счастье еще, что ко мне вернулся рюкзак.

Вот видите, как мне повезло, да? А, вы же еще не знаете главного… Оказывается, мама с папой ехали за мной всю дорогу, то есть не всю, а после Сигмы. Примерно одну четвертую пути.

Они как мое письмо прочитали, которое я им дома оставила, сразу бросились в гимназию. Там собрали совет, пригласили психолога. Давай анализировать мои сочинения, комментарии на школьном форуме, мою страничку «ВКонтакте»... Короче, примерно когда я вышла из Дельты, они разгадали мой замысел. А тут еще спасатель Лёша сообщил спасателям нашего города, что видел меня на вокзале в Омикроне. Вектор движения родители быстро высчитали, все же они хорошо меня знают. Отвезли Гришу бабушке и рванули за мной. В городе Ро я отправила маме СМС, как маячок поставила, где меня искать. В Сигме они меня увидели. И почему-то не кинулись ко мне со словами: «Мы убьем тебя, любимая дочь!» Что очень странно, кстати. Нет, они решили тихо и тайно меня сопровождать. Понимаете? Они решили дать мне возможность сделать это. Закончить свой путь. И вот уже здесь, в Омеге, предстали пред моими очами. Вообразите, какой у меня был шок? Сижу я спокойно на набережной, никого не трогаю, смотрю на море, вдруг они ко мне подходят и садятся с двух сторон. И тоже на море смотрят. Немая сцена. Занавес. Потом уже мама бросилась мне на шею и разрыдалась. Обнимает и сама же приговаривает:

— Я убью тебя, паразитка ты эдакая, сколько ты мне крови попортила!

А папа:

— Тихо, тихо, Аленушка, мы же договорились...

И я заметила, что все-таки еще чуть-чуть ниже папы ростом. Совсем чуть-чуть, но все-таки ниже.

Потом они меня в баню потащили и в ресторан, и за новой одеждой. Я не спорила. Все-таки я перед ними сильно виновата. И вообще... все-таки здорово иногда снова стать маленькой и ничего не решать: где обедать, куда идти.

Какие я сделала выводы? То есть жалею ли я о сделанном? Нет. Мне жаль, что родители так переживали. Но я не могу жалеть о том, что сделала. Может, это главный поступок в моей жизни. И я теперь многое могу им сказать, ну, своим родителям. Не молчать и слушаться, а именно сказать. Что не хочу заниматься математикой. Хочу, чтобы мы снова ходили в ПВД. И пусть отстанут от Гришки со своими репетиторами, у него еще уйма времени, чтобы выбрать, куда поступать. И да, я не знаю, кем хочу быть, но это не повод так сильно переживать и лишать меня просто жизни, без допзанятий. Может, я стану спасателем, как Лёша. Или ветеринаром. Буду собак лечить. Или тренером по ходьбе. Буду рассказывать всем, как преодолевать большие расстояния. Для этого не нужен институт. Зато я буду счастлива, потому что мне реально нравится ходить. Просто ходить и все. А если вдруг захочу стать кем-то еще, пойду и поступлю в институт, который сама выберу. Раньше я не могла им всего этого сказать. Потому что не знала, как сформулировать. А теперь знаю. Ведь я столько раз сама себе это проговорила за пять месяцев, пока шла! Мне кажется, теперь они меня услышат.

А, еще вот что: Эмма Гейтвуд — невероятно крута. Вот просто невероятно. И, может, она ушла не потому что ее все достало, совсем нет. Может, она просто хотела сделать это: встать и пойти. Пройти свои шесть миллионов шагов.

...Оставалось одно, но очень важное дело.

— Мам, пап! Можем мы на обратном пути заехать в Дельту? То есть не совсем в Дельту, а там недалеко есть автозаправка... Я там кое-что оставила. Надо забрать.

Я скрестила пальцы: пусть будет так, что щенки выжили, остались на заправке, и тетя Наташа согласится отдать мне хотя бы одного. Вот Гришка обрадуется!

ТРИ ЖЕЛАНИЯ

— Что это тут у вас, а?

Кира подкралась незаметно. Мы вздрогнули, как один. Встали шеренгой, смотрели на Киру, а глаза — виноватые. Ну-ну, знаем, плавали.

— А ну-ка руки покажите!

— Вот еще! — дернул плечом Васька.

Кира брови приподняла, Ваське в глаза метнула пару молний, и он первым опустил ей в руки свой сегодняшний трофей: большущего мертвого краба. Он был совсем целый, такого легко можно туристам продать.

— Та-а-ак, опять в гроте были?

Больших крабов только там можно найти, Кира это знает. И она не любит, когда Васька нас в грот возит. Тем более без нее.

— Та-а-ак, следующий!

У Жеки улов сегодня небогатый: россыпь мелких рапан. Но Кира забирает и их.

Все должны платить дань королеве.

— Следующий!

Следующий — это я. А я не хочу ничего отдавать Кире, вот еще! Все мальчишки в городе ее боятся, потому что влюбились. Конечно, она красивая. Так сказал режиссер, который прошлым летом к нам приезжал кино снимать. Мы сидели на заборе, и Кира с нами, режиссер сначала на нас даже внимания не обращал, а потом увидел ее.

— Ну-ка, — сказал он, — иди сюда.

Кира тут же спрыгнула с забора. Легко по песку побежала, каждый ее шаг выбивал в песке маленький фонтанчик. Ноги у Киры длинные, загорелые, а руки тонкие и какие-то летящие, будто не руки, а крылья. И когда она так бежит по песку к морю, а волосы, белые, как размочаленный канат с ялика, колышутся за спиной… ладно, согласен, она красивая. Режиссер тоже это сразу понял. И кивнул дядьке с огромной такой камерой:

— Друг Сева, ты посмотри, какая нимфа... чудо, как хороша! Откуда ты, Русалочка?

— А тутошние мы, во-о-он у водокачки живем, — затараторила Кира. — А вы, дяденьки, из Москвы? К нам все время из Москвы едут, кино снимают и снимают! У нас так красиво, что ли?

— Очень!

Они долго еще болтали. Я бы посидел послушал, но Васька сплюнул в песок и сказал:

— Лахудра…

И добавил:

— Пошли отсюда!

Мы засвистели, но Кира даже не оглянулась. Она улыбалась режиссеру, как тогда художнику, который ее три дня рисовал. А потом она дома хвасталась, будто бы режиссер сказал, что, если бы она была постарше, он бы взял ее на главную роль, но пока не возьмет.

— Он меня в эпизодах снимать будет! А еще сказал, чтобы я после школы в Москву ехала, в театральный…

— Куды?! — завопила бабушка, а батя замахнулся на Киру куском драной сети.

Кира — моя сестра.

В день, когда началась вся эта история, мы собрались на берегу пораньше. И опять без Киры, ее мамка не пустила, заставила рыбу чистить. Уже неделю штормило, а тут с утра — тишь да гладь. Весь пляж в Рыбачке был укрыт бурыми водорослями. В них запутались пластиковые бутылки, одинокие сланцы, всякий мусор. Целое море водорослей! И островами — проплешины песка. У нас везде песчаные пляжи, поэтому летом туристов с малышней просто тьма.

Рыбаки только-только отчалили, а мы спрятались за дырявым баркасом деда Саши, следили. А когда уж они далеко ушли, мы выскочили, вытащили из-за валуна нашу лодку, спустили на воду и жребий кинули, кому сегодня в море идти. В лодке помещалось только четверо, а нас было шесть. Лодку мы стырили. У Синюхи. А чего? У нее лодок много, и все бесхозные, валяются без дела на заднем дворе, половина дырявых. Вот мы одну и скрали. Законопатили, просмолили. Хорошая получилась, только жалко, что маленькая... И опять мне выпало на берегу сидеть! Я даже пнул лодку, но Васька меня осадил:

— Но-но, — говорит, — лодка ни при чем. Несчастливый ты, Дуся.

И правда, я уже третий раз на берегу остаюсь. До шторма сидел два раза, и вот опять. Так обидно! Сейчас все сядут в лодку, отчалят, она будет качаться на волнах, и они будут молчать, молчать до самого грота, потому что море ведь не любит болтовни. А я сиди тут... Еще было бы с кем, а то с Кабанчиком, чтоб его раки съели.

Я вообще какой-то невезучий. По жизни. Родился с одним ухом. Я все слышу, но только на одном ухе у меня это самое ухо, за которое дергают, когда у тебя

день рождения, а на другом — будто отрезали. Поэтому мама всегда меня стрижет так, чтобы волосы свисали до шеи и закрывали уши. Девчачья стрижка! Из-за нее Васька дразнит меня Дусей. Он вообще-то неплохой, только всем придумывает прозвища. Кабанчика вот Кабанчиком зовет. Потому что тот толстый.

Ну вот, сидим мы с Кабанчиком, смотрим, как лодка в море уходит... И так погано мне стало, вот правда, что я толкнул его в плечо со всей силы.

— Ты чего! — заорал Кабанчик, а глаза сразу намокли.

Он вообще плакса. Нюня. Кира говорит, что таких бить — уму-разуму учить. Я его опять стукнул. Васька говорит, мужики не ноют.

— Отстань, Дуся! — завопил Кабанчик и откатился от меня подальше.

Песок вспучился под его толстыми ляжками. Противный он. Мне с ним скучно. Я отвернулся и стал смотреть на море. Лодка уже скрылась за скалой. Сейчас наши, наверное, первый грот проплывают.

— Родь... Родька, смотри...

Кабанчик что-то откапывал из-под водорослей. Видимо, задел, когда откатывался, какую-то штуку. Его толстые руки погрузились в песок, зашебуршили там и достали железный ящичек. Небольшой такой, длинненький. И видно, что старый, проржавевший, краска уже стерлась, ракушки наросли с одного боку.

— Ну, коробка... — сказал я лениво.

Лодка уже причалила ко второму гроту, наверное. Сейчас они вылезут на мокрый песок, вытянут лодку из воды. Достанут спички, разложат костерок из веток, которые с собой привезли. Там хорошо в гроте, тепло. Мы все время туда ездили. Ну, по очереди, конечно. По жребию. Сначала сети ставили, а потом просто были там. Ничего особенного не делали. Так, купались, у костра грелись, хлеб жарили. Но «ничего особенного» — это если ты попадаешь в лодку. А вот если третий день сидишь на берегу…

— Дорогая мама… — вдруг начал Кабанчик, и я даже подпрыгнул.

Все знали, что мать бросила Кабанчика еще в раннем детстве, подкинула своей старшей сестре. Она его и растит, и сама же называет подкидышем.

— Тут, Родьк, смотри, в коробке письмо… и деньги вот еще. Много.

Кабанчик уже раскурочил ящичек и сейчас держал в руках завернутые в прозрачный пакет пачки денег. Три или четыре. А может, даже пять! И листок бумаги. Это он с него прочитал «Дорогая мама…». Я вырвал у Кабанчика листок и сам стал читать вслух:

— «Дорогая мама, прости, что я так уехал, ничего не сказав тебе и не объяснив причины. Но, поверь, она есть…» Тут размыто, ни черта не видно… «Береги Надю, помни, что я люблю ее больше всех на свете, кроме, конечно, тебя. Деньги все оставляю тебе, они вам с Надей скоро понадобятся. Помоги ей воспитать моего сына. Пусть он вырастет смелым и сильным».

— Тут вот еще… — как-то виновато сказал Кабанчик и протянул мне конверт.

— Садовая, восемнадцать, — прочитал я.

— Синюха! — крикнули мы в один голос.

Вот бывает же так: сидишь на берегу, третий день, между прочим, да еще и с Кабанчиком, а они там в гроте купаются и хлеб жарят. А потом — бац! — откапываешь в песке старую жестяную коробку, полную денег, да еще и письмо странное. Конечно, мы с Кабанчиком бросились к Кире.

Кира внимательно прочитала письмо. Потом деловито пересчитала деньги. Потом объявила:

— Разделим на троих.

Мы с Кабанчиком молчали. Мы таких денег не то что в руках никогда не держали, мы даже знать не знали, что они есть — такие деньги. Я быстро подсчитал: даже если разделить на троих и взять одну мою часть, то на лодку хватит. На нормальную такую лодку, новую, с мотором. И может, даже на снасти останется.

— Это же чужие, — сказал вдруг Кабанчик.

— Че-го?! — изумилась Кира.

Я думаю, она первый раз в жизни услышала голос Кабанчика. Он всегда молчит. Когда молчишь, меньше достается.

— Ну, чужие же деньги. Адрес вот. Надо снести.

Кира фыркнула. Я знал, что она задумала. Она в Москву собралась сбежать. К тому режиссеру. Или художнику. Ей деньги позарез были нужны. А тут Кабанчик!

— Надо снести, — повторил он упрямо.

Я даже испугался за него. Как дерется Кира, я знал. Но она сказала спокойно:

— Слушай, Кабан, ну чего мы их понесем? Да еще Синюхе. Она и так богатая! Пять лодок у нее и домина вон какой! Мы деньги нашли? Мы! Чего еще думать?

— Если бы письма не было... — пробормотал Кабанчик. — Надо снести.

И Кира согласилась! Я ушам своим не поверил! Она вздохнула, сгребла деньги в кучу и сунула в руки Кабанчику:

— Ладно, пошли.

У меня челюсть отвисла. А они уже со двора выходят, Кабанчик на ходу деньги в холщовую сумку заталкивает (его тетка с утра на рынок отправляет с этой сумкой, а он к нам сбегает, и так каждый раз). Я за ними пошел, конечно. Иду и думаю: чего мы сейчас Синюхе скажем? Она страшная очень, все время орет. И жадная. Не дает абрикосы рвать, которые возле ее дома растут. А чего? Они ж не за забором, на улице! А она, если увидит, как начнет голосить:

— Ты их сажал? Ты их ростил? Все надарма привыкши!

Мы к ней вообще не суемся. Только вот лодку скрали. Мы почти до самой Синюхи дошли, а тут Кабанчик говорит:

— Мою мамку Надя зовут.

— Чего? — опять фыркнула Кира.

— А чего? Мне тетка рассказывала!

Я не понял, о чем это он. Ну и пусть Надя. И что с того?

— Тетка говорит, она отца поехала искать. Моего. Говорит, он ее любил сильно и так просто беременную не бросил бы.

Кира глянула на него насмешливо. Потом на сумку его с деньгами кивнула и говорит:

— Ну и неси Синюхе все сам, раз и мать у тебя Надя, и отца поехала искать. Неси, неси, Синюха ведь тебе, выходит, бабка!

И правильно меня Дусей зовут! Дуся и есть! Кира вон сразу сообразила, на что Кабанчик намекает…

— Не, — отступил от Киры Кабанчик. — Я ее боюсь очень.

Кира хмыкнула. Можно подумать, она не боится Синюху! Синюху все боятся, даже Васька. У нее спина скрюченная — говорят, от злости. Но я думаю, это чтобы лучше было видно, что на дороге валяется. Она всегда монетки поднимает, даже самые мелкие. Один раз я услышал, как она говорит соседке:

— Не могу я видеть ее под ногами, копеечку эту — вся в пыли! А там ведь Георгий Победоносец, он ведь святой… Стыдно!

Святого на копейке пожалела! А сама ни абрикосинки не даст сорвать, сразу орет! Она просто жадная, вот и все.

Мы подошли к дому Синюхи. Вроде не видно ее. Кабанчик судорожно сглатывал и письмо в руках теребил. Кира позвонила у калитки и отбежала. Мы с Кабанчиком тоже хотели свинтить, но Кира его в спину толкнула:

— Давай, ты ж внучок ее!

Послышались шаркающие шаги, и тут я драпанул. Кира и Кабанчик за мной. Ну, не бывает так, чтобы пойти и поговорить с Синюхой! Это как если у нас в июле снег выпадет и море замерзнет!

Наши уже вернулись из грота.

— Пусто, — шепнул мне Дурка.

Кто-то когда-то сказал Ваське, что поставил однажды около грота сети и выловил кусок доски с набитыми на нее золотыми пластинками. С тех пор Васька почти каждый день отправлялся на лодке в грот сети ставить. Но ничего ему не попадалось, только рыба, и то редко. Сейчас они тоже десяток бычков привезли, жарили их на костре. А тут мы. С деньжищами. Сели у костра, молчим.

— Все равно надо ставить! — гнул свое Васька. — Если тот кусок от чего-то, то ведь должны быть и другие! Эх, акваланг бы!

Он это каждый раз говорит, надоел уже.

И тут Кира:

— А Родька с Кабанчиком клад нашли. Родь, письмо покажи.

Кира никогда при других меня Дусей не звала, хотя дома дразнилась. Я протянул Ваське письмо.

— И что вы думаете? — очень серьезно оглядела всех Кира. — Кабанчик уверен, что это все его. Что он у нас Синюхин внучок и наследничек.

Мы дружно заржали.

— И много прям денег? — вскинулся Жека. Он сдернул у Кабанчика с плеча сумку, но Кира его по руке хлопнула.

— Не лезь, не твое!

— А чье? Твое?

— Это мои деньги, — упрямо сказал Кабанчик.

Уже забыл, видать, как хотел их Синюхе отдать.

— Да ла-адно! — протянул Васька и уткнулся в письмо. — Ну-ка, ну-ка… что-то я не вижу здесь, что денежки эти для тупого толстого пацана.

Кабанчик надулся.

— «Пусть вырастет смелым и сильным». Разве ты смелый и сильный, Кабанчик? Сам понимаешь, что это не про тебя. — В Васькином голосе прозвучало даже что-то похожее на сочувствие.

Кабанчик на него уже не смотрел. Он опустил голову и ковырял пяткой песок.

— Все равно они мои, — сипло сказал он.

Тихо, но все-таки сказал. Так долго с Васькой никто не спорил. И Кира засмеялась. А потом заявила:

— Прекрасненько! Пусть докажет. Докажет, что он сильный и смелый. Что вырос таким, как мечтал его папочка-богатей. Докажешь, Кабанчик?

Кабанчик вскинул на нее глаза, пробормотал растерянно:

— А как?

— Ну… — протянула Кира, обходя вокруг него, как вокруг новогодней елки. — Предлагаю устроить испытание. Как в сказках. Исполнишь три моих желания — деньги твои.

— Чего это твои-то желания?! — начал было Васька, но Кира посмотрела на него, и он сразу притих, ухмыльнулся криво: давай, мол, желай.

Кира королевским взглядом обвела берег.

— Пусть украдет у Синюхи еще одну лодку.

Мальчишки заулюлюкали, начали дубасить друг друга по спинам и верещать. Будто им целый пароход обещали, а не лодку какую-то! Это я так думал. А сам тоже улюлюкал, хохотал и всех дубасил. Кабанчик стоял потный, злой, зубы сцепил. Мне не хотелось на него смотреть. Подумаешь, лодку скрасть! Мы же одну скрали! Это два года назад было. Лёвка и Жека отвлекали Синюху, абрикосы рвали. Она за ними погналась, а Васька, я, Кабанчик и Дурка лодку на берег оттащили и спрятали в развалившемся лодочном сарае рыбачьей артели. Делов-то!

— Сроку тебе до завтра. Пусть лодка меня утром на берегу ждет, — сказала Кира.

И побежала купаться. И мы все следом потянулись. А Кабанчик остался. Когда мы вылезли из моря, его на берегу уже не было. Мы посмеялись и разошлись по домам.

А утром на берегу нас ждал Кабанчик. С лодкой. И мы ее узнали, конечно. Потому что она у самого Синюхиного забора лежала всегда. Старая, горбатая. Но целая. Как же он ее дотащил один?

— Ну и корыто, — бросил Васька.

— А вы не сказали какую, — Кабанчик с вызовом посмотрел на Киру.

Она плечом повела. Похлопала лодку по занозистому боку.

— Ну да, молоток, Кабан. Вот тебе второе желание...

Я даже опешил. Второе желание? Ну, правда, я думал, что после такого они от него отстанут! Ясно, конечно, что никто не отдаст ему всех денег, но можно ведь их разделить! Кабанчик ведь молодец! Одному! Стырить лодку! У Синюхи! Никто бы не смог... Какие еще желания?

— Что-то надоели мне эти абрикосы у Синюхи перед домом. Она с них глаз не сводит, даже не оборвать. Нам от них смысла никакого. Так что давай, Кабанчик, руби.

— Чего?

— Абрикосы Синюхины! Чтобы завтра все три срублены были, понял? Ты же у нас смелый и сильный! Давай! Синюха расстроится, а мы все посмеемся.

— Ага, а то «не вы их сажали», «надарма привыкши»! — всунулся Жека.

Кабанчик покраснел так, будто его в кипяток окунули. Развернулся и ушел с пляжа. А мы расселись по лодкам и двинули в грот. Две лодки — красота! Не надо кидать жребий, не надо никому на берегу оставаться, скучать и тосковать — на всех место есть. Кира сидела на носу «своей» лодки, смотрела вперед. Прямо как статуя на корабле! Васька сидел на веслах, травил анекдоты. Но она на него не обращала никакого внимания.

В гроте Васька завел разговор:

— Все-таки больной он, этот Кабан. Как он лодку стащил?

— А может, попросил? Может, она и правда его бабушка?

— Ты, Дуся, тоже больной и не лечишься. Синюха — бабушка?

— Да хоть дедушка! Она в жизни никому ничего не даст!

— Здорово ты, Кир, с абрикосами придумала, гений, — сказал Васька. — Надо только проследить за ним. Интересно, как он пыжиться будет.

И поздним вечером мы залегли в засаде. Недалеко от Синюхиного дома был неглубокий овраг. Мы спрятались там и ждали Кабанчика, как ждут начала спектакля. Наверняка Синюха его поймает. Может, поколотит. А может, участкового вызовет. Я лег на спину. Небо над нами — прямо черное и все в звездах, огромных таких. И так их было много, что если бы можно было пройти по небу, то шагу некуда было бы ступить. Я лежал и смотрел на эти звезды. Как их много! И вроде бы ничего особенного, что есть они, что нет, но все-таки хорошо, что есть. И небо не беспросветно черное.

Рядом со мной тихо переговаривались Кира и Васька:

— Да не придет он, сдрейфит.

— Посмотрим.

— Может, и не сдрейфит, только все равно ему их не спилить. Она ж не глухая. Сразу выскочит.

— Посмотрим.

— Посмотрим да посмотрим, заладила…

— Заткнись!

— Сама…

— Да тихо вы! — не выдержал Жека.

Они замолчали, и мы продолжали лежать. Цикады звенели так, что, пожалуй, можно было и не расслышать топор. Если бы Кабанчик пришел.

Я, наверное, задремал на теплой земле, потому что очнулся вдруг, как от толчка. Это Кира встала, отряхнулась и сказала:

— Все, надоело мне, я ухожу. Родька, домой пошли.

Ага, как же.

— Ну, как хочешь!

Она легко выпрыгнула из оврага и направилась в сторону дома. Васька посмотрел на часы. Он один из нас с часами ходил, типа взрослый совсем.

— Три часа уже. Не придет, ясное дело.

И пошел за Кирой. Остальные полежали еще немного и тоже ушли. А я остался. Сам не понял, зачем. Не из-за Кабанчика, конечно. Наверное, из-за звезд. Красиво все-таки. А батя узнает, что мы дома не ночевали, накажет. Когда еще посмотришь на них? И земля пока теплая, можно и полежать. Посмотреть, как солнце встает. Тоже красиво. Как рыбаки в море уходят. Мы с Кирой, когда маленькие были, иногда бегали батю в море провожать. Теперь почему-то не провожаем. Бате, наверное, кажется, что это нам больше не интересно, что мы теперь взрослые. Но я бы пошел, если бы он позвал.

И вдруг до меня донесся звук. Тихий такой, монотонный. Я не сразу понял, что происходит. Догадался, только когда услышал треск и увидел, как валится первое дерево. А за ним второе. И тут я разглядел в темноте тучную фигуру Кабанчика. Он всем телом навалился на третий абрикос, и тот уже заскрипел, подпиленный, под его тяжестью, накренился и тоже начал падать. В окне Синюхиного дома загорелся свет, и я дал дёру. Не хватало еще, чтобы меня застукали тут!

Я бежал под звездами, и до меня стало доходить, как Кабанчик это провернул. Сначала он все деревья подпилил, наверное, до середины, так, чтобы они стояли, не падали. Они молодые, не очень-то толстые, так что много времени это не заняло. А потом он их просто сломал по надпилу. Он ведь и правда сильный, Кабанчик-то! И умный, оказывается.

Я бежал и понимал, что Кабанчик тоже лежал со своей пилой в засаде и ждал, когда мы уйдем. Ему, наверное, сильно не хотелось, чтобы мы подглядывали. И получилось все, как с лодкой: раз — и исполнил желание королевы. Мне ни за что так не придумать! Я настоящий Дуся…

На следующее утро все встречали Кабанчика, как героя. Серьезно! Васька его по спине хлопнул:

— Молоток, Кабан! Зверь вообще! Расскажешь, как все было?

Кабанчик смущенно улыбался какой-то дурацкой, не своей улыбкой. Но рассказывать не стал. Да его не сильно-то и хотели слушать, сразу отвлеклись на что-то. Но тут Кира заявила:

— Эй-ей, у меня еще одно желание осталось!

Все посмотрели на нее, как будто она с другой планеты.

— Что?! — возмутилась Кира. — Или, может, сразу все деньги Кабанчику отдадим?

Тут Васька будто вспомнил про деньги, хотя я ни за что не поверю, что он про них забыл хоть на минуту. Он только про деньги и говорит всегда, про свои золотые пластины, которые выловит однажды в гроте.

— Все желания у тебя, Кирюха, какие-то дурацкие, — сказал он и сплюнул.

Плевок на песке скатался в темный шарик. Я смотрел на него, чтобы не смотреть на Кабанчика, потому что мне уже не хотелось во всем этом участвовать.

— Ну, сам придумай, если такой умный!

Кира злилась. На Кабанчика, что он ее желания исполнил, и на себя, что ничего невыполнимого она придумать не может. Будто ей не деньги надо будет отдать, а замуж за него выйти! И я впервые пожалел, что мы с Кабанчиком вообще нашли ту коробку.

— Пусть до грота плывет. Сам, один, — предложил Васька.

Дурка аж присвистнул, а Жека сказал:

— Совсем, что ли? Мы на лодке туда полчаса идем.

— Ну и что? Испытание так испытание.

И все промолчали.

Кабанчик посмотрел на нас, чуть рот приоткрыв. Будто не понимал, почему мы молчим-то. Я вспомнил абрикосы и выдавил:

— Далеко ведь…

— А ты, Дуся, молчи лучше, — цыкнул Васька.

И Кабанчик начал раздеваться. Медленно и как-то по-девчачьи, через рукава, стянул футболку. Тело у него было розовое от загара, толстое, даже колыхалось, пока он к морю шел. Шорты Кабанчик у самой воды снял. Поежился, хотя день был в разгаре и жарко.

Зашел в море по пояс и поплыл. Спокойно так плыл, не торопясь. Ну и правильно. Когда плыть долго, то нельзя торопиться. И можно же отдыхать — раскинуть руки и ноги звездой и лежать на воде. Мы молчали. Только Жека сказал один раз:

— Плакали твои денюжки, Васьк. Доплывет.

Васька отвесил ему фофан. Дурка хихикнул, Лёвка следом, он вечно все за другими повторяет.

Кабанчик превратился в маленькую точку. Мне казалось, я вижу ее, темную и далекую. Вон же она, качается на волнах. Уже дальше грота. И в стороне. Или это мне мерещится?

И вдруг Кира как завизжит:

— За ним давайте! Чего вы стоите!

Васька и Жека бросились в лодку, пошли быстро. Васька греб без остановки, только мускулы на спине ходуном ходили. Мы видели, как они начали нырять по очереди там, где последний раз видели голову Кабанчика. Потом сместились чуть дальше. Потом еще.

— Надо взрослых позвать, — сказал Дурка и сам развернулся, побежал к конторе рыбачьей артели.

Кабанчика нашли только к вечеру. На пляже уже собрался весь поселок. Гудели, гадали, охали, кто-то заплакал... У Киры застыло лицо.

Кабанчика положили на теплый песок.

Тетка Кабанчика протолкалась сквозь толпу, упала рядом с ним на колени и заголосила:

— Миша! Миша, Мишенька, кровинушка моя! Касатик мой, да зачем же ты в эту воду окаянную полез, дитятко мое!

Я как-то отрешенно подумал, что вот теперь знаю: Кабанчика звали Мишей. А еще увидел, что у его тетки синие губы.

— Вот курва, — сплюнул вдруг Васька. — Голосит как... Всю жизнь его дубасила почем зря, а теперь...

Про «дубасила» мы не знали, Кабанчик никогда не жаловался на такое. Но Васька был его соседом, может он видел чего. Я посмотрел на него, а он отвел глаза, сплюнул и затесался в толпе. Наверное, вспомнил, что третье желание было его.

Я каждый день зачем-то стал ходить мимо Синюхиного дома и смотреть на сваленные абрикосы. Сам не знаю зачем. Три дня они так просто лежали. Ветки сохли на солнце, листья желтели. Абрикосины рассы́пались далеко по улице. На них наступали, и на асфальте оставались темные пятна. На запах раздавленных абрикосин слетались осы. Потом деревья распилили и увезли куда-то. Наверное, Синюха ими баню топить собиралась.

Мы так никогда и не узнали, откуда тот ящик взялся на нашем берегу. Ясно, его море выбросило. Но как он в море оказался? И правда ли Синюха была бабкой Кабанчика?

Кира поступила в швейный какой-то колледж и уехала в Москву. Васька сбежал с пароходом, мы его больше не видели. Синюха продала свой дом, лодки, коз и уехала куда-то. Тетка Кабанчика жила теперь одна, ходила по поселку сутулая и мрачная.

А самое странное, что никто из нас не вспомнил про деньги. И куда они делись, тоже никто не знал. Я все пытался восстановить порядок событий, понять, когда я видел их в последний раз? Вот Кабанчик их нашел, мы с ним побежали к нам домой, Кира их пересчитала и отдала Кабанчику. Потом мы пошли к Синюхе, от нее — на пляж, и там началась история с желаниями… И как я ни сопротивлялся этой мысли, все равно получалось, что все время деньги были у Кабанчика.

Пока он крал лодку.

Пилил абрикосы.

Плыл до грота.

Все это время деньги лежали у него, в его старой холщовой сумке, с которой он все время таскался и в которую он затолкал их перед тем, как идти к Синюхе.

Они все время были у него.

Зачем же он тогда…

НЕПУТЕВАЯ КАТЯ

Весь мир был белым и синим. Синими были море и небо. Синими были цветы в палисаднике у бабушки, и бабушка была синяя. Синими были крыша и круговой балкон маяка. А сам маяк был белым. Таким же белым, как песок, редкие облака, камни на берегу.

Девочка тоже была бело-синяя. Она носила белое платье без рукавов с синим, похожим на матросский воротником и белую шляпу с синей лентой. Таких платьев у девочки было три — бабушка купила. Когда платья грязнились, бабушка их меняла, но девочка не замечала перемены, и ей казалось, что она ходит в одном и том же, в одном и том же…

Имя у девочки тоже было синим и белым — Соня Ким. «Соня» — слово круглое, мягкое, синее, «Ким» — слово плотное, звонкое, точно гладкий белый камешек с берега. Сонин прадед был корейцем, последним настоящим корейцем в этой семье. Сам он женился на украинке, и с тех пор все его дети и внуки разбавляли и разбавляли древнюю корейскую кровь разной другой. Волосы у Сони рыжеватые, кожа — светлая; глаза — темно-серые и даже без намека на азиатский разрез. Только прадедову фамилию да сдержанный характер получила в наследство бело-синяя Соня Ким.

В этом бело-синем, всегда одинаковом мире, оставалась лишь одна вспышка света — мама. Ярко-оранжевая мама носила одежду красного, желтого, морковного цвета, от нее в любое время пахло апельсинами.

Мама казалась чем-то мифическим, вроде солнечного шторма. Дедушка и дядя Миша рассказывали, что бывает такой. В погожий ясный день все небо вмиг темнеет, наливается чернильными, лохматыми тучами и обрушивает на море потоки воды. Ветер дует такой, что поднимает с земли мелкие камешки, и они бьют в окна. Страшно и весело — настоящий шторм.

Но вдруг какой-то особенный порыв ветра дырявит небо, и сквозь окошко в плотных тучах выливается на штормовое море солнечное золото. Там, за тучами — яркое солнце. И пока небо снова не затянулось, шторм — солнечный.

Когда мама приезжала, на все ложились рыжие отсветы: на синюю лодку, на белый песок, на море и облака, на беленые стены дома, на синюю бабушку, на белого деда.

Дед радовался, бабушка нет. Бабушка так сильно любила Соню, что не могла больше любить никого, даже единственную дочь Катю — Сонину маму.

Мама любила всех; сердце у нее было большое, просторное. Туда вмещались дед, бабушка, Соня, потерянный и забытый Сонин папа, мамин театр, ее соседи, книги, гастроли, планы… И много-много всего могла вспомнить Соня, что берегла мама в своем сердце, и все равно Соне казалось, что там еще много места.

Соня носила мамину фамилию. А Сонин папа был настоящий швед, его звали Ниссе Свантессон, но Соня видела его только на фотографиях. Папа жил в Швеции, где у него были другие, отдельные от мамы дети и много работы. Поэтому он никогда не приезжал к Соне. У мамы тоже было много работы, но она приезжала часто.

Однажды мама уехала на очередные гастроли, а Соню отвезла к бабушке. Перед отъездом сказала:

— Я люблю тебя больше всех на свете.

Первое время Соня целыми днями собирала на берегу камешки и ракушки, набивала ими карманы. От них в карманах оседали песчинки и потом плохо вымывались. Стирая белые платья, бабушка Анна вздыхала и качала головой. Не по поводу песка, а по поводу дочери Кати.

Милая, милая Катя! Синеглазая, с отцовской азиатчинкой, талантливая, умная, вечная отличница, чуткая, радостная, такая доверчивая в детстве — все расскажет… И вот выросла, травою проросла сквозь мать, сквозь ее жизнь, и ушла, ушла, ушла. На все смеется теперь или отмахивается, ничем не поделится, не посоветуется. Легка, смела, весела. И видно, что стареет, медленно, медленнее, чем она, Анна, но все-таки... Привезла Соню, уехала, бросила, можно сказать. Соня хорошая, послушная. Соня родная, роднее всех, лучше, чище. Но Соня тоже вырастет, и Анна боится, мучается и боится, что вырастет и тоже уйдет и Соня. И как только можно пытается остановить, удержать Сонино время.

А Соня все ходит по берегу, смотрит на синее и белое, дышит морским воздухом, играет с кошкой. Вечерами сидит с бабушкой, читает ей сказку про огниво и Кота в сапогах или пишет в тонкую тетрадь букву за буквой: ААААА, БББББ… Подсаживается к дедушке, сонно смотрит телевизор, переводит иногда

взгляд на темное окно, за которым медленно и ровно дышит море, оглушительно звенят цикады и стучат о каменную дорожку неспелые, но почему-то все равно падающие грецкие орехи.

Спит Соня крепко, встает рано, ест с аппетитом, почти не капризничает. Она хочет в школу, ждет маму и думает про далекую Швецию.

На маяке работали посменно Антон Андреевич и дядя Миша. Антон Андреевич жил в городе и приезжал на смены, а дядя Миша жил здесь же, в хлипком домике около маяка, и к нему летом приехал сын с женой и двумя детьми. Они в хлипком домике жить не стали. Поставили в огороде большую синюю палатку, рядом соорудили под навесом стол, и получилась у них почти дикая жизнь. Палатка, навес, столик, высокий дяди-Мишин сын Сергей и его жена Настя, костлявый Никита и грациозная Даша — все это называлось Роговы.

Бабушке Роговы нравились, особенно тетя Настя. Но за Соню она беспокоилась: как бы Роговы-дети не обидели молчаливую девочку, очень уж были непосредственны.

Встретились вчера на берегу, познакомились. Соня сама начала разговор, расспрашивала про палатку и про родителей. А когда Никита спросил про ее маму-папу, вдруг начала сочинять.

Врала Соня, первый раз в жизни врала, и так вдохновенно! У отца-капитана куртка белая, аж глаза слепит, фуражка, а на ней золотые якоря. А корабль — огромный! До неба! И белый, конечно. Мама? О, мама…

Мама, как солнечный шторм, вся в огне и в золоте, сама — огонь и золото, и скоро приедет за Соней, и свой театр с собой привезет.

Наврала с три короба, испугалась и чуть не бросилась бежать.

Конечно, все откроется. Никита и Даша обязательно узнают, что она не на лето приехала, а живет здесь уже долгих три года, и что мама приезжает не каждое воскресенье, и не с театром, одна. И что папа никакой не капитан, и нет его, совсем нет папы, есть только далекая страна Швеция.

Ночью Соня не спала и все думала, что не выйдет теперь никакой дружбы с Роговыми. Она тихо плакала, щеки жгло. И знала Соня, но не головой, а где-то внутри, там, где слов не бывает, знала, что все не так просто. Что работа работой и театр театром, но есть еще бабушка, которая становится совсем другой, когда приезжает мама. Соня чувствует: бабушка на маму обижена, мама в чем-то виновата — и перед бабушкой, и перед Соней. Не понимает Соня, но так любит маму, что думает: да, виновата, пусть, только приезжай и возьми меня с собой! Забери не от бабушки, я очень ее люблю, и море люблю, и деда, и я правду говорю, когда ты спрашиваешь: «Хорошо тебе здесь?» «Да», — говорю я, и мне правда ведь хорошо. Но ты забери меня, не отсюда, а к себе. Я же послушная, я самая послушная в мире, бабушка говорит, что таких послушных детей никогда не видела, я не буду тебе мешать. Забери меня, и я никогда больше не стану врать. Забери меня.

Если бабушка разрешит.

Ни Даша, ни Никита Роговы ничего не узнали про Сонину ложь. Не приехали театр и Сонина мама, ну и что? Они и не заметили. Роговы ходили в горы, ездили в заповедник, в кино и музеи. Соня провожала их с берега тайком. Потом брала сломанную дедушкину удочку без лески, садилась на выбеленную солью и солнцем корягу у самой воды и ловила рыбу. Она часто так играла. Это была хорошая игра, особенно, когда грустно. Так ее и застала приехавшая среди недели мама.

— А тебе не жалко рыбу ловить? — спросила мама после объятий и поцелуев.

— Мама, я же не по-настоящему ловлю, — серьезно сказала Соня, — я так играю.

И Соня заметила, как мама вздрогнула, но не всем телом, а будто только лицом.

Дед шумно обрадовался. Бабушка хмуро, быстро поцеловала Катю: с приездом.

Обедали: рис, рыба, салат. Пили чай: Катя привезла огромный торт. Потом пошли на улицу. Бабушка никогда не ходила гулять — только когда приезжала Катя. И Соня совсем недавно заметила, что бабушка будто боится оставить их вдвоем: Катю и Соню, дочку и внучку.

Гуляли мало, бабушке тяжело по песку. Бабушка Аня рассказывала про то, как ходили в храм, который восстановили в поселке. Катя — про свой театр, как ездили на фестиваль и выступали в детских домах. Соня — про Никиту, про Дашу, про их палатку и про то, как играли в саду. Слова лились и лились из Сони, словно солнце из дыры в штормовых тучах.

— Ух, разговорилась! — одобрял дед.

Потом бабушка усадила Соню за книжку — готовиться к школе. Катя сказала деловито:

— Соне в хорошую школу надо.

— И в этой выучится, в нашей. Все там учились. И ты тоже. Что, плохая выросла?

Бабушку позвала с улицы тетя Настя, и, пока она ходила, Соня быстро прижалась к маме и спросила:

— Мама, я всегда-всегда буду жить без тебя?

Мама опять вздрогнула лицом, а потом полился из ее глаз теплый оранжевый свет.

— Сонечка… что ты… Тебе плохо здесь?

— Нет, мне хорошо, — спокойно сказала Соня и замолчала.

— Я заберу тебя. Завтра же. Правда.

Пришла бабушка, отправила Соню гулять. Соня сидела на низкой скамейке в саду, смотрела на синие бабушкины цветы и понимала, что все неправда. Не может быть, чтобы прямо завтра.

Сергей Рогов и Катя дружили с детства. Их связывала трогательная и нежная первая любовь, и они были благодарны друг другу за то, прошлое, счастливое чувство. Встречаясь теперь случайно, оба чувствовали непонятное волнение.

Особенным был этот Катин приезд домой, и она обрадовалась, узнав, что Сергей с семьей здесь.

— Давно не виделись...

— Как ты? Надолго?

Не говорили ни о детях, ни о делах, ни о спутниках жизни. Даже о прошлом — не говорили. Бродили по песку, морем любовались. Катя рассказывала, как всю дорогу пожилой попутчик-дагестанец грозился ее украсть. Сергей хвалился, какой роскошный виноградник он заложил у отца в огороде.

Через заборчик, увитый виноградом, обиженные горькие глаза следили за Катей и Сергеем. Следили, как Катя запрокидывала голову и каштановые волосы струились у нее по спине. Звонкий Катин смех летел над морем...

Дед сердито сопел. Он сидел около калитки и вязал сеть. Видел и дочь с Сергеем, и сердитую Анну, а самое главное — маленькую жалкую фигурку у забора. В вечном бело-синем платье, с распустившейся косой, Соня стояла и смотрела издали на маму и дядю Сережу. Она не знала, что это за слово — «ревность», но ей хотелось бежать куда-нибудь, кричать, визжать и царапаться.

— Непутевая, — проворчал дед, не глядя в сторону дочери, — какая же она непутевая...

Пока Катя с Сергеем гуляли, потемнело небо, будто откликнувшись на непонятное Сонино отчаянье. Тучи, весь день копившиеся у горизонта, придвинулись вплотную к поселку, и ветер, еще утром тихий и теплый, загудел ровно и пронзительно. Море заворочало волны, как усталый человек, вынужденный отвечать на ненужные вопросы, ворочает языком. Обрушивался на берег прибой и, уползая, оставлял в песке воронки с шипящей пузырчатой пеной. Начинался шторм.

Соня увидела, как из палатки бегут к отцу Даша и Никита, как медленно идет за ними тетя Настя. Соня оглянулась на дом (не видит ли бабушка?) и тоже сорвалась с места, полетела окрыленная — к маме.

Дождь хлестал и бурлил, но никто не уходил с берега. Дядя Сережа дурачился, кружился с тетей Настей, высоко подбрасывал Дашу и Соню и валил в песок Никиту. И все бегали за ним, хохотали, визжали, но поймать не могли: он, как дождь, ускользал из рук. Наконец, Никита повис у него на спине, потом навалились и девочки, и тетя Настя, и, хохоча, все рухнули в песок. И тут же мама закричала:

— Смотрите!

Ветер на минуту разорвал густые тучи. Сквозь окно в небе хлынуло солнце. Жидким золотом растеклось оно по морю, осветив на короткий миг все вокруг, и снова исчезло за тучами, и снова был яростный шторм. Но кого теперь обманешь? Там, за тучами, — ослепительное солнце!

Бабушка рассердилась. Она долго выговаривала Кате за то, что позволила Соне бегать под холодным дождем. И бросила деду, как мокрую тряпку в раковину:

— А ты куда смотрел?

А смотрел он на них, радовался их радости и молодости, и солнечному шторму, и Катиному приезду, и Сониному внезапному своеволию.

— Ладно Катя, она же ничего про своего ребенка не знает, но ты-то, ты…

Соню закутали в кусачее одеяло и дали чаю с медом. Катя сделала вид, что бабушкиных слов не слышала, а Соня вся сжалась в печальный комочек. Она не могла понять, но чувствовала, что слова бабушки очень обидные.

Потом все забылось. Соня сидела с мамой у окна, смотрела на прозрачные струйки-дорожки на стекле и думала: неужели она и вправду видела тот самый дедушкин солнечный шторм? Соня почувствовала, что мама думает о том же. Ей стало спокойно и радостно. И потянуло в сон.

Катя сидела рядом с отцом перед телевизором, смотрела на экран, думала о своем. Она размышляла, что жизнь ее похожа на сильный шторм, когда все смешивается: земля и небо, ветер, потоки воды, восторг и ужас. Все звенит и грохочет, завораживает, будоражит так, что кричать хочется, и кажется: вот-вот лопнут нервы. И ветер такой сильный, могучий, дерзкий! Этим ветром в Катиной жизни был Ниссе Свантенссон, Сонин отец. Смешной такой, восторженный швед, приехал в Москву на театральный фестиваль, потом остался работать на целый год. Целый год страдания и счастья. Любил и мучился, что предает ту шведскую жизнь. Предавал и мучился, что бросить ту жизнь все равно не сможет.

Катя до него никого с такой силой и болью не любила. А он никого, даже Катю, не любил так сильно, как своих детей. И уехал, когда Катя узнала, что беременна. Она ничего ему не сказала. Он звонил потом, но не вернулся. Швеция так далеко! Катя смутно ее себе представляла... Эта страна виделась ей в благородных серо-синих тонах, и все жители белокурые и голубоглазые, как Ниссе и его дети. Ниссе был давно, Швеция далеко, и Соня — тоже далеко. Как бы ни цеплялась Катя за Соню, шторм жизни был слишком силен, баллов десять, и ее дочка, ее радость и свет, терялась в грохоте дней.

Со двора зашла Анна, прошла к Соне в комнату — наверное поцеловать на ночь. Анна все сделает, чтобы Соня в этот шторм не попала, чтобы она исчезла из Катиной жизни. Анна не специально, но у нее получается. Кате уже постелено на веранде, хотя Сонина кровать большая, можно вдвоем спать. Так хочется прижать ее к себе, маленькую, теплую, родную. Сказать что-нибудь, напомнить про то время, когда они жили вместе, дать понять, что она — мама, мама, мама.

Кате хочется плакать. Ей дома всегда хочется плакать. Хотя все хорошо. Родители рады, ласковые такие, хоть Анна и пытается сдерживаться. Но почему так тоскливо? И чтобы не заплакать, Катя поспешно завела разговор, из-за которого и приехала.

Соне все слышно сквозь тонкую стенку южного дома. Слышно, как стреляют и за кем-то гонятся в дедовом фильме, слышно, как бабушка скрипнула дверью и коротко прогремела посудой на кухне. Соня знала, что сейчас бабушка придет к ней.

— Сонечка, спи, дружочек, доброй ночи.

— Доброй ночи, бабуля, — Соня послушно закрыла глаза.

Бабушка вздохнула, поцеловала ее и вышла. Окно было синее, потолок белый. Послушная бело-синяя Соня Ким открыла глаза и услышала, как мама за стенкой произнесла громко и весело:

— Уважаемые родители, хочу сделать объявление! Я замуж выхожу. Его зовут Иван Ли, он русский кореец.

— Слава богу! — вздохнул дед, и было непонятно, почему «слава»: потому что замуж или потому что кореец.

Катя сказала это и вдруг поняла: Иван Ли, Ванечка, как ласково называли его в театре, молчаливый, мудрый, немножко нелепый музыкант — будто окно в небе, через которое льется на ее штормовую жизнь солнце. И с ним все другое, даже шторм — золотой, солнечный, радостный. Родители попричитают, Анна вцепится в Соню, но Катя теперь, когда все решено для нее самой, одним Ванечкиным именем разрубит гордиевы узлы, все разрешит! Ах, Ванечка, за одно только желание создать семью, вернуть Соню, рожать детей и растить их вместе — за одно это желание, которое ты пробудил во мне, я, непутевая, буду вечно любить тебя, твое скуластое, луноликое лицо, твою труднопереносимую молчаливость, твои маленькие руки, всех твоих друзей и родственников!

Катя замолчала, будто дыхание кончилось от счастья, что есть у нее Ваня. Сквозь охвативший ее восторг она смутно слышала, как возражает ей Анна, как доказывает, что Соню с моря увозить нельзя, она слабенькая, неизвестно еще, что за человек этот кореец и как он Соню воспримет... Хотя Катя про Соню пока ни слова и не сказала.

Соня не помнит дня, когда мама привезла ее к бабушке, а сама уехала, но Катя... Катя этот день запомнила навсегда.

Было солнечно и очень ветрено. Соня, очень нарядная, в голубом платье с детской сумочкой через плечо, с синими бантами в коротких косичках держала ее за руку. Катя старалась: она знала, что Анне нравится, когда все одеты, как на праздник. В автобусе

Соню укачало, и теперь она жадно дышала ветром. Настроение было испорчено, глазки потускнели. Кате до слез было жалко ее. Тяжелым камнем лежало на сердце то, чего Соня еще не знала. Конечно, Катя и раньше ее оставляла здесь, но только на два-три дня, на неделю, на месяц. А теперь... Теперь никому ничего не понятно. У Кати столько работы! Репетиции затягиваются до ночи, вечные гастроли, а Соня легко простывает, постоянно болеет, от любого сквозняка то ОРЗ, то ангина.

Анна предложила сама:

— Привози ее, Катерина, мы с отцом все равно на пенсии. Здесь море, тепло, фрукты. Да и вообще...Чего ей по садикам да нянькам? Будто родной бабушки нет.

Уже в автобусе, подъезжая к поселку, Катя с обморочным ужасом подумала: «Как я могла согласиться?! Нет, нет, все правильно, здесь воздух, здесь тепло, море. И денег на няню не хватает, а в садике Сонечка болеет и болеет... Правильно, правильно...» Уговорила себя. Но весь тот день был тоскливым и тревожным. Наверное, это передалось Соне, потому что она, так легко всегда расстававшаяся с мамой, вдруг зашлась недетским плачем, руками обхватила Катю за ноги, уткнулась ей в живот и плакала страшно, надрывно. Катя никогда такого плача не слышала. Она растерянно гладила дочку по голове, обнимала, целовала, что-то шептала в маленькое розовое ушко.

«Не могу, — думала Катя. — Не могу».

«Надо же, как она меня все-таки любит», — мелькнула еще мысль.

Сдержанная Соня, которая все ласки, даже материнские, казалось, еле терпит, вдруг взяла ладошками мамино лицо, склонившееся к ней, и начала целовать, целовать…

«Не могу, — сдаваясь, решила Катя. — Заберу с собой. Справимся как-нибудь».

Но ласково и твердо взяла ревущую Соню Анна, а Кате сказала:

— Поезжай. Не переживай — успокоим.

Так и уехала Катя с отчаянным дочериным криком в ушах.

И каждый раз теперь, когда приезжала и видела здоровенькую, чистенькую, радостную Соню, тот недетский плач поднимался в ней огненным столпом, слепил, обжигал, требовал жертв в виде дорогих игрушек и конфет, которые Соня и не любила вовсе, а только делала вид, что любит.

И вот теперь этот огненный столп взорвался от Анниных слов, а с ним взорвалась и Катя. Она никогда не умела спорить, а все слова Анны, пока их слушаешь, и все ее доводы кажутся такими правильными и взрослыми, единственно верными и возможными. И только потом, оставшись одна, сама с собой, понимаешь, что опять дала себя уговорить, согласилась на то, чего на самом деле совсем не хочется. И как же это так получилось, что тогда, в споре, все казалось правильным? Катя знала это и боялась этого. Потому и взорвалась, превратила разговор в ссору. После ссоры можно наплевать на все правильное, можно сделать по-своему, будто бы из-за упрямства. По-своему сейчас — увезти Соню. Вот что главнее всего. Спорить, злиться, кричать — лишь бы не слышать правильные слова, лишь бы не отступить, не сдаться.

Катя слабая, ей трудно противостоять Анне, которую она по-детски горячо любит и боится. Она не знает правильных слов. Анна же во всем права: у Кати дурацкая работа и беспорядочная жизнь, здесь солнце, море, фрукты, а там большой город, грязный, шумный. И отчим — это все-таки отчим. А сама Катя? Всю жизнь безалаберная! Да и что она знает про свою Соню? Она ведь три года как бросила ее на бабушку с дедом, только в гости приезжает…

Все в Кате рвется на мелкие клочки, все в Анне бурлит и стонет. Дед вышел во двор.

Стоял в темноте, курил, отбивался от комаров. Женские крики сливались со звоном цикад. Шумело внизу самое синее на свете море. Белели по берегу поселковые домики. Будут в гости приезжать. Летом. Как к Михаилу. И хорошо, что кореец. Был бы отец жив — порадовался бы.

Дед вспомнил, отчетливо вспомнил вдруг самый воздух своего детства. Запах сушеной рыбы в сенях большого дома; размытую дождями дорогу в школу, непролазную грязь; засохшие, просто деревянные сушки — единственное лакомство в обычные дни; мамины рыбные пироги по воскресеньям…

Дотлела сигарета, мелкими оранжевыми звездами осыпалась на землю. Дед всматривался в темноту, туда, где рокотало и пенилось привычное уже море… Он хотел большую семью и много детей, да как-то не сложилось. Дед вздохнул, хотел выкурить еще сигарету, но передумал. Хорошо, что дочка выходит замуж, а то как-то бестолково складывается у нее жизнь. Хорошо, что увозит Соню, как бы ни причитала по этому поводу Анна. Дети, пока не выросли, должны жить с родителями. «Хорошо, что кореец», — опять подумалось ему.

Всю ночь плакала в своей постели на террасе Катя. Она хотела пойти к дочери в комнату, но не пошла, не посмела, оправдалась перед собой, что ей надо выплакаться — не будить же ребенка.

Всю ночь глухо плакала в подушку и Анна, под тихие уговоры мужа. Он один всегда мог утешить и убедить ее. И она уже начинала верить, что будет лучше и Кате, и Соне, если они завтра уедут, если будут жить вместе. Но где-то в глубине души теплилась надежда, что раз Катя легла на террасе, то Соню никуда завтра не увезут.

Медленно шли к автобусной остановке. Чемодан был синий, платье белое. Ветер рвал синюю ленту на шляпе, и подол платья, и бабушкин платок. В синем чемодане книжки, теплый свитер, ракушки-камушки. Соня заметила, что бабушка смотрит на нее как-то по-новому.

Роговы еще спали в своей синей палатке. Проснутся, спросят: «Где Соня?» А Сони нет, Соню мама забрала.

Море машет и машет им вслед бело-синим прибойным платком.

СОДЕРЖАНИЕ

Литературно-художественное издание
Для среднего и старшего школьного возраста
Маркировка согласно Федеральному закону №436-ФЗ: 12+

Тамара **Михеева**
ДОПЛЫТЬ ДО ГРОТА

Иллюстрации Маши Судовых

Издатель Виталий Зюсько
Исполнительный директор Наталья Эйхвальд
Шеф-редактор Марина Кадетова
Ведущий редактор Ася Гасымова
Литературный редактор Татьяна Бобрецова
Допечатная подготовка студия InCase
Корректоры Надежда Власенко, Вера Алексина

Регистрационное свидетельство
№ 5087746578123 от 11.12.2008
ООО «Издательский дом «КомпасГид»
101000, Москва, Лубянский проезд, дом 5, стр.1
Тел. (499) 707 74 75
E-mail: book.kompasgid@gmail.com

www.kompasgid.ru
Ищите нас в социальных сетях:
www.facebook.com/kompasguide
www.vk.com/ph_kompasgid
www.instagram.com/kompasgid

По всем вопросам, связанным с приобретением книг издательства, обращаться в ТД «Лабиринт»: тел. (495)780-00-98 **www.labirint.org**
Книги «КомпасГида» в электронном виде вы можете приобрести на **www.litres.ru**

Подписано в печать 31.05.2018.
Формат издания 60×90/16 (140×210 мм).
Печать офсетная. Усл. печ. л. 10.
Заказ № 5367.

Отпечатано с готовых файлов заказчика
в АО «Первая Образцовая типография»,
филиал «УЛЬЯНОВСКИЙ ДОМ ПЕЧАТИ»
432980, г. Ульяновск, ул. Гончарова, 14